2025年版

ユーキャンの

保育士

これだけ!
一問一答
&要点まとめ

JN006036

おことわり

法令などの基準について

本書は、2025（令和7）年前期・後期筆記試験に対応しています。

本書の記載内容について、2024年9月1日以降の法改正情報などで、2025年試験に関連するものについては、下記「ユーキャンの本」ウェブサイト内「追補（法改正・正誤）」にて、適宜お知らせいたします。

https://www.u-can.co.jp/book/information

これだけ！一問一答＆要点まとめ

ここが ポイント

 最終確認の強い味方！

ユーキャンの保育士『これだけ！一問一答＆要点まとめ』は、試験直前にしっかり確認しておきたい事項を一問一答形式でコンパクトにまとめた問題集です。持ち運びに便利な新書サイズ＆赤シートつきなので、いつでもどこでも手軽に学習できます。

 **受験対策にかかせない基本事項を
網羅した1050問！**

過去の本試験の出題傾向を徹底的に分析。そのデータに基づいて、繰り返し問われる基本事項を、事例問題を含む1050問の○×問題にしました。解答解説は見開きで掲載しているので、知識の確認がスムーズに行えます。

 横断的に学習できるまとめページ

一問一答だけではフォローしきれない重要項目は、「重要ポイントまとめてCHECK!!」のページにまとめてあります。大事なポイントをイラスト・図表などで横断的に解説しているので、一問一答と併せて効率よく学習することができます。

本書の使い方

本書は、○×形式の一問一答ページとポイントまとめページで構成しています。問題ページで知識を確認し、まとめページで重要ポイントを整理することができます。

一問一答で知識を確認

まずは、赤シートで右ページの解答を隠しながら一問一答を解き、自分の理解度を確認しましょう。

右ページの解説をチェック

間違えた問題はしっかり解説を確認し、確実に理解しましょう。
正解した問題も解説を読み、プラスアルファの知識を吸収しましょう。

指針…「保育所保育指針」
要領…「幼稚園教育要領」
児福…「児童福祉法」
基準…「児童福祉施設の設備及び運営に関する基準」
人物…重要人物
統計…各種統計データ
発達…発達の目安や年齢区分

保育士試験で頻出の根拠法や出典をアイコン表示。参考として活用しましょう。

事例問題トレーニング

出題が予想される科目の短文事例問題の対策ができます。

保育原理

1 保育の理念と概念

Q1 保育所は、入所する子どもの最善の利益を考慮し、その福祉を積極的に増進することに最もふさわしい生活の場でなければならない。**指針**

保育所は、保育を必要とする子どもの保育を行い、身体の発達を図ることを目標とした児童自立支援施設である。**指針**

Q3 子どもの生命を守り、子どもの生理的欲求を十分に満たすことは、子ども一人一人の生きること〜保障することである。**指針**

これだけ！はおさえておきたい基本事項を問う問題をセレクト！

Q4 幼保連携型認定こども園は、〜校であるとともに、「児〜設でもある。

Q5 保育所の保育時間は7時間が原則である。**基準**

「～育所保育指針」は、保育所における保育の向上と〜のガイドラインであり、保育内容や保 **指針**

〜」も告示であ

事例問題トレーニング ②

次の文は、ある保育所における**【事例】**である。

【事例】

Z保育所では、週に1回随時園庭開放や子育て相談を実施している。

毎回、数組の親子が園庭開放を利用している。そこに役員のXさんと子どもYが（1歳6か月）がやってきた。Xさん親子は、これまで数回園庭開放を利用している。初Yの外見は、Xさんの〜暗い表情や他の親子との関わりがないことが気になっていた。ある日、Wが遊ぶ姿をみた保育士がXさんに声をかけ〜。Xさんことに気づくと、「YがWとトラブルしたら話が纏めた。子育ての〜それを毎日繰り返し、いつか手をあげてしまう。子育ての〜落ち着いたところ、「Yがばくとトラブルして困惑っている〜・夫の転勤でV市に引っ越してきたばかりで、知り合いがいない。・Z保育所の園庭開放以外の社会資源も利用していない。・子どもとの関わり方がよく分からず、迷ったり、戸惑った〜ことが多い。そのためイライラして、Yが…

A414 家庭的保育事業は、子ど〜も子育て支援制度の〜いうは、保育を必要とする満3歳未満の、対象児童〜受けることが困難な子どもである。Xさんは家庭で保〜育を行える状況であり、利用を勧める事業として適切で〜ではない。×

A415 地域子育て支援拠点事業は、障がいのある子どもを児童発達支援〜センターなどに通わせ、〜。×の支援、知識技術の習得、集団生活への適応〜は、膝状不自由児への治療などを行うものである。

A416 小規模保育事業として、〜子どもを保育することを目的とする事業であり、利用〜の定員が19人以下での〜育を行え〜

まとめページで横断整理
一問一答だけではフォローしきれない重要項目は、まとめページでしっかり確認し、知識を整理しましょう。

保育の実践に関する法規、制度について〜〜〜学習しましょ
「保育所保育指針」の内容や〜〜〜も押さえ〜〜〜
ましょう。

> 問題にも解説にも、
> チェックボックスが
> チェックボックスが
> ２回分。繰り返しが
> 学習効果を高めます。

A 1 「保〜〜保育〜〜〜第1章「総則」で示されている。健全な心身の発達を図ることを目的とする児童福祉施設であるともされている。 ○

A 2 保育所は、保育を必要とする子どもの保育を行い、その健全な心身の発達を図ることを目的とする児童福祉施設である。 ×

A 3 養護は、子どもの生命の保持、情緒の安定を図るために保育士等が行う援助や関わりをいい、それを踏まえた保育を展開しなければならない。 ○

A 4 義務教育とその後の教育の基礎を培うものとして、＿＿＿以上の幼児に対する教育と、保育を必要とする乳幼児に対する保育を一体的に行う施設であることが規定されている。 ○

A 5 「児童福祉施設の設備及び運営に関する基準」に、1日につき原則＿＿＿と規定されている。 ×

A 6 「保育所保育指針」は、保育所保育の＿＿や＿＿＿、保育＿＿＿が示されている〜〜〜示の指針である。

A 7 「保育所保育指針」は〜〜〜から＿＿＿＿＿（厚〜〜〜

A 8 ＿＿＿型・幼稚園型・〜〜〜の4類型がある。

> **解説ページは**
> **『穴埋め問題集』としても**
> **活用できます！**
> 重要部分が赤字＋下線になっているので、
> **赤シートを使い穴埋め形式で**
> チェックするのもおすすめです。

重要ポイント
まとめて CHECK!!

Point 9　社会的養護の体系

◎ **社会的養護とは**
社会的養護とは、国や地方公共団体が、里親や児童福祉施設に委託するかたちで、子どもの養育を社会的に保障することです。

◎ **家庭と同様の環境における養育の推進**

| 施設 | 施設（小規模型） | 家庭と同様の養育環境 | 家庭 |

| 施設 | 施設（小規模型） | | | 家庭と同様の養育環境 | | 実親による養育 |

| 施設 | 地域小規模児童養護施設（グループホーム）・本体施設の支援のもとで地域の民間住宅などを活用して家庭的養護を行う・1グループ4〜6人 | 小規模住居型児童養育事業（ファミリーホーム）・養育者の家庭で養育を行う家庭養護・最大6人まで | 里親・里親家庭における養育を里親等に委託する家庭養護・最大4人まで |

| **児童養護施設**大舎（20人以上）中舎（13〜19人）小舎（12人以下）1歳〜18歳未満（必要な場合は0歳〜20歳未満） | **小規模グループケア・**地域において、小規模化した養護を行う・1グループ4〜6人 |

| **乳児院**必要な場合は幼児（小学校就学前） |

出典：こども家庭庁「社会的養護の推進に向けて」を参考に作成

1) 施設養護…施設に入所させ、家庭的な養育環境をめざす取り組みを施設養護のなかで、家庭的な養育環境における養育…家庭もしくは家庭に近い〜模型）」とよぶ。

2) 家庭と同様の環境における養育…家庭もしくは家庭に近い〜会的な養護を行う。

得点 UP のカギ　法律上の保護者とは
「児童福祉法」の第6条で、「親権を行う者、未成年後見〜者で、児童を現に監護する者」と定義。実父母あるい〜難にあり親権を放棄した場合は、保護者にあたら〜

94

> 横断的な重要項目を**イラスト＆チャート**で整理しまし〜。**「得点 UP のカギ」**も併せて覚えましょう。覚えづらい条文や人物名は、「**ゴロ合わせの部屋**」で効率よく覚えましょう。**赤シート**を使うとより効果的です。

*このページは、本書の使い方を説明するための見本です

5

目次

ここがポイント ……………………………… 3

本書の使い方 ……………………………… 4

科目別の主な学習ポイント ……………… 9

保育原理

1 保育の理念と概念 ……………………… 12

2 保育所保育の基本 ……………………… 14

3 保育所保育の内容 ……………………… 20

4 保育所保育の計画と評価 …………… 24

5 多様な子育て支援と
　保育ニーズ ……………………………… 26

6 苦情解決と第三者評価 ……………… 28

7 保育士の資格 ………………………… 32

8 わが国の保育の思想と歴史 …… 34

9 諸外国の保育の思想と歴史 …… 38

事例問題トレーニング ………………… 42

教育原理

1 教育の意味と目的 …………………… 50

2 諸外国の教育史 ……………………… 54

3 わが国の教育史 ……………………… 58

4 教育内容と制度 ……………………… 62

5 教育実践と評価 ……………………… 64

6 20世紀の教育方法 ………………… 66

7 教育原理と現代の課題 …………… 68

社会的養護

1 児童養護の役割 ……………………… 74

2 施設養護 …………………………………… 78

3 家庭と同様の環境における養育
　…………………………………………………… 86

4 社会的養護の課題 …………………… 92

子ども家庭福祉

1 子ども家庭福祉の成立と展開
　…………………………………………………… 98

2 子ども家庭福祉の法律 ………… 100

3 子ども家庭福祉の機関と施設
　………………………………………………… 106

4 子ども家庭福祉施策 …………… 112

5 障害のある児童への対応 …… 116

6 少年非行等への対応 …………… 118

7 母子保健 …………………………………… 120

8 児童虐待対策 ………………………… 122

9 ひとり親家庭 ………………………… 124

10 子ども家庭福祉に携わる人々
　………………………………………………… 126

事例問題トレーニング ……………… 128

社会福祉

1 社会福祉とその対象 …………… 136

2 社会福祉の歴史 …………………… 138

3 社会福祉の法と制度 …………… 140

4 社会福祉行政 ………… 146

5 社会保障制度 ………… 148

6 子ども家庭福祉における
   第三者評価と苦情解決 … 152

7 社会福祉の専門職員 ……… 154

8 対人援助 ………………… 158

事例問題トレーニング ……… 166

保育の心理学

1 保育と発達心理学 ……… 172

2 初期経験の重要性 ……… 180

3 人との関わり ………… 184

4 新生児期の発達過程 ……… 188

5 乳児期の発達過程 ……… 190

6 幼児期の発達過程 ……… 192

7 学童期・青年期・成年期の
   発達過程 ……………… 194

8 子どもの生活と遊び ……… 196

9 発達援助 ……………… 198

事例問題トレーニング ……… 202

子どもの保健

1 子どもの保健水準と
   健康指標 ……………… 208

2 子どもの発育・発達と保育 … 212

3 子どもの疾患予防と対処 … 218

4 子どもの精神保健 ……… 226

5 事故防止対策と救急処置 …… 234

6 母子保健と保健計画 ……… 236

事例問題トレーニング ……… 238

子どもの食と栄養

1 子どもの発育と栄養 ……… 248

2 栄養の基礎知識 ………… 252

3 日本人の食事摂取基準
   (2020年版) …………… 256

4 国民健康・栄養調査
   (2019〔令和元〕年) ……… 260

5 健康な食生活のあり方 ……… 262

6 妊娠・授乳期の食生活 ……… 264

7 乳児期の栄養と食生活 ……… 266

8 幼児期の栄養と食生活 ……… 270

9 学童期・思春期の栄養と
   食生活 ………………… 272

10 小児疾患・障害と食生活 … 274

11 児童福祉施設での食生活 … 276

保育実習理論

1 音楽の活動 …………… 282

2 造形の活動 …………… 292

3 言語(言葉)の活動 ……… 300

4 保育所・児童福祉施設の
   役割と機能 …………… 308

事例問題トレーニング ……… 312

重要ポイントまとめて CHECK!! 一覧

point 1 「保育所保育指針」 46
point 2 子ども・子育て支援に関する主な施策 47
point 3 わが国の保育の歴史・人物 48
point 4 諸外国の保育の歴史・人物 49
point 5 教育に関する法律1 70
point 6 教育に関する法律2 71
point 7 教育の評価 72
point 8 20世紀の教育方法 73
point 9 社会的養護の体系 94
point 10 社会的養護の歴史 95
point 11 社会的養護の種類と対象者 96
point 12 児童福祉施設の主な職員 97
point 13 児童の権利の歴史 132
point 14 子ども家庭福祉に関する法律 133
point 15 児童相談所の役割 134
point 16 児童虐待の防止等に関する法律 135
point 17 社会福祉の歴史 168
point 18 社会福祉関連法 169
point 19 第三者評価と苦情解決 170
point 20 社会福祉の援助技術 171
point 21 発達の区分 204
point 22 愛着 205
point 23 乳幼児期の発達 206
point 24 発達心理学の歴史 207
point 25 子どもの身体発育の特徴 242
point 26 子どもがかかりやすい感染症 243
point 27 保育所におけるアレルギー対応 244
point 28 予防接種 245
point 29 子どもの心の健康 246
point 30 精神療法 247
point 31 栄養素の基礎知識 278
point 32 「日本人の食事摂取基準」 279
point 33 授乳期・離乳期の栄養 280
point 34 食育 281
point 35 音楽記号と標語 314
point 36 主要三和音・コードネーム 315
point 37 幼児期の描画能力の発達と特徴 316
point 38 絵画の表現方法 317

科目別の主な学習ポイント

保育士試験は「筆記試験」と「実技試験」からなり、「筆記試験」で全科目に合格した者のみが「実技試験」を受験できます。また、3年間で全科目と実技試験に合格することが条件で、保育士試験の特徴ともいえます。

試験科目	❶保育の心理学（20問）、❷保育原理（20問）、❸子ども家庭福祉（20問）、❹社会福祉（20問）、❺教育原理（10問）、❻社会的養護（10問）、❼子どもの保健（20問）、❽子どもの食と栄養（20問）、❾保育実習理論（20問）
出題形式	全科目マークシート方式
合格基準	各科目6割以上の得点

法律、保健、栄養、保育、教育などさまざまな分野にわたっているのが保育士試験です。各科目の主な学習ポイントを確認していきましょう。

保育原理

「保育所保育指針」が重要です。確実に理解しておきましょう。
「子ども家庭福祉」「教育原理」と関連させて学習しましょう。

- 「保育所保育指針」原文からの出題が多くみられる。
- 国内、国外の保育の歴史や人物についてよく出題される。
- 「保育所保育指針」の考え方に沿った事例問題の出題がみられる。
- 保育所や認定こども園の現状についてグラフや表を読み解く出題や子ども・子育て支援新制度の出題がみられる。

教育原理

教育に関する法令や現代の教育におけるさまざまな問題を把握しておきましょう。「保育原理」と関連させて学習しましょう。

- 「日本国憲法」「教育基本法」「学校教育法」「幼稚園教育要領」からの出題がよくみられる。
- 国内、国外の教育の歴史、教育家の考え方、著作や言葉についての出題がよくみられる。
- 現代の教育方法や教育の問題点についてよく出題される。
- 諸外国の学校系統図についても出題される。
- 教育に関する今後の方向性に関する出題もみられる。

社会的養護

「社会的養護の推進に向けて」や「児童養護施設入所児童等調査」「新しい社会的養育ビジョン」について確実に理解しておきましょう。
「社会福祉」「子ども家庭福祉」と関連させて学習しましょう。

- 施設養護と家庭と同様の環境における養育についての出題がよくみられる。
- 児童福祉施設の支援内容、運営指針に関する出題がよくみられる。
- 社会的養育の現状や課題、将来像に関する出題がよくみられる。

子ども家庭福祉

「児童福祉法」などの児童福祉関連法やその制定順、子どもの権利、被措置児童等虐待も含めた虐待に関して確実に理解しておきましょう。
「社会福祉」「保育原理」「社会的養護」と関連させて学習しましょう。

- 子ども家庭福祉の実施機関や児童福祉施設、専門職について出題される。
- 「児童福祉法」「児童虐待の防止等に関する法律」「児童の権利に関する条約」など、児童に関する法律等からの出題がよくみられる。
- 子ども・子育て支援新制度、障害児サービス、ひとり親世帯についての出題がよくみられる。
- 保育所での援助に関する事例の出題もみられる。

社会福祉

社会福祉の基本的な考え方や理念を確実に理解しておくことが必要です。
「子ども家庭福祉」「社会的養護」と関連させて学習しましょう。

- わが国の社会保障制度や公的扶助、障害児（者）施策、人口動態、権利擁護についての出題がよくみられる。
- 社会福祉の機関や社会福祉従事者についての出題がよくみられる。
- 援助技術の展開過程や関連する用語、リッチモンドやパールマン、バイステックなどに関する出題がよくみられる。

保育の心理学

発達に関するさまざまな考え方や、愛着、認知、心の理論について確実に理解しておきましょう。乳児期、幼児期というような発達段階ごとの特徴についても確実に理解しておきましょう。
「保育原理」「子どもの保健」と関連させて学習しましょう。

- 「保育所保育指針」の考え方に基づいた出題がみられる。
- 青年期、高齢期についてもよく問われる。

- 人との関わりや道徳性の発達についても問われる。
- 愛着についても出題がみられる。
- 子どもの精神疾患に関する出題がみられる。

子どもの保健

統計データや発達、感染症について確実に理解しておきましょう。
「保育の心理学」「保育原理」「子どもの食と栄養」と関連させて学習しましょう。

- 発達についての出題がみられる。
- 感染症、アレルギー、生理機能、予防接種についての出題がみられる。
- 事故時の対応、防災・防犯についての出題がみられる。
- 体調不良の子どもや医療的ケア児への対応についてもよく問われる。

子どもの食と栄養

「日本人の食事摂取基準」「国民健康・栄養調査」「食生活指針」「授乳・離乳の支援ガイド」「食育推進基本計画」については確実に理解しておきましょう。食品の旬、行事食、郷土食についても知っておきましょう。
「子どもの保健」と関連させて学習しましょう。

- 五大栄養素の働きについての出題がよくみられる。
- 「日本人の食事摂取基準」の基本的な内容のほか、妊婦や乳幼児に示されている数値の出題がみられる。
- 「授乳・離乳の支援ガイド」を含めて、母乳や調乳、離乳食などに関する出題がよくみられる。
- 障害や疾病のある子どもの食事、誤嚥しやすい食品などについての出題がよくみられる。
- 「妊娠前からはじめる妊産婦のための食生活指針」「食事バランスガイド」「学校給食法」「食育基本法」からも問われる。

保育実習理論

表現活動の分野だけでなく、「保育所保育指針」についても確実に理解しておきましょう。
「保育原理」と関連させて学習しましょう。

- 音楽については、速度・強弱標語、調号、移調、音程、コードネーム、童謡のリズム譜、音楽に関する言葉のいずれかからの出題が必ずある。
- 造形については、描画・造形技法、材料、色彩に関する出題が多い。
- 工作物のつくり方について文章やイラストによる出題がある。
- 保育実習生の子どもへの対応など事例の出題もみられる。

保育原理

1 保育の理念と概念

Q 1 「保育所保育指針」の第2章「保育の内容」には、「家庭及び地域社会との連携」について記載されている。 [指針]

Q 2 保育所は、入所する子どもを教育するとともに、家庭や地域の様々な関係機関等との連携を図る。 [指針]

Q 3 子どもの生命を守り、子どもの生理的欲求を十分に満たすことは、子ども一人一人の生きることそのものを保障することである。 [指針]

Q 4 「保育所保育指針」と「幼稚園教育要領」、「幼保連携型認定こども園教育・保育要領」は、教育に関わる側面のねらい及び内容について整合性が図られている。

Q 5 保育所の保育時間は7時間が原則である。 [基準]

Q 6 保育における養護とは、子どもの生命の保持及び情緒の安定を図るために保育士等が行う援助や関わりである。 [指針]

Q 7 「幼稚園教育要領」も「保育所保育指針」も告示であり、法的拘束力がある。 [指針]

Q 8 各保育所は「保育所保育指針」に規定されている事項を踏まえ、それぞれの実情に応じて創意工夫を図り、保育を行うとともに、保育所の機能及び質の向上に努めなければならない。

保育の実践に関する法規、制度について、しっかり学習しましょう。
「保育所保育指針」の内容や、保育の歴史についても押さえておき
ましょう。

A 1 第2章「保育の内容」4保育の実施に関して留意すべき事項に家庭及び地域社会との連携が記載されている。 〇

A 2 保育所は、入所する子どもを保育するとともに、家庭や地域の様々な社会資源との連携を図る。 ✕

A 3 養護は、子どもの生命の保持、情緒の安定を図るために保育士等が行う援助や関わりをいい、それを踏まえた保育を展開しなければならない。 〇

A 4 2017（平成29）年に告示された「保育所保育指針」から、教育に関わる側面のねらい及び内容の整合性が図られた。 〇

A 5 「児童福祉施設の設備及び運営に関する基準」に、1日につき原則8時間と規定されている。 ✕

A 6 「保育所保育指針」の養護の理念の一部である。保育所における保育は養護及び教育を一体的に行うことを特性としている。 〇

A 7 「保育所保育指針」は、2008（平成20）年の改定から大臣告示となった。 〇

A 8 「保育所保育指針解説」2「保育所保育指針の基本的考え方」に示されている。 〇

13

2 保育所保育の基本

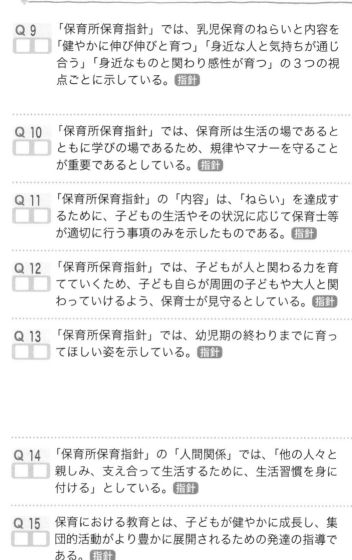

Q 9 「保育所保育指針」では、乳児保育のねらいと内容を「健やかに伸び伸びと育つ」「身近な人と気持ちが通じ合う」「身近なものと関わり感性が育つ」の3つの視点ごとに示している。指針

Q 10 「保育所保育指針」では、保育所は生活の場であるとともに学びの場であるため、規律やマナーを守ることが重要であるとしている。指針

Q 11 「保育所保育指針」の「内容」は、「ねらい」を達成するために、子どもの生活やその状況に応じて保育士等が適切に行う事項のみを示したものである。指針

Q 12 「保育所保育指針」では、子どもが人と関わる力を育てていくため、子ども自らが周囲の子どもや大人と関わっていけるよう、保育士が見守るとしている。指針

Q 13 「保育所保育指針」では、幼児期の終わりまでに育ってほしい姿を示している。指針

Q 14 「保育所保育指針」の「人間関係」では、「他の人々と親しみ、支え合って生活するために、生活習慣を身に付ける」としている。指針

Q 15 保育における教育とは、子どもが健やかに成長し、集団的活動がより豊かに展開されるための発達の指導である。指針

A 9 「健やかに伸び伸びと育つ」は身体的発達に関する視点、「身近な人と気持ちが通じ合う」は社会的発達に関する視点、「身近なものと関わり感性が育つ」は精神的発達に関する視点とされている。 ○

A 10 「保育所保育指針」では、「保育室は、温かな親しみとくつろぎの場となるとともに、生き生きと活動できるように配慮すること」としている。 ✕

A 11 保育士等が適切に行う事項と、保育士等が援助して子どもが環境に関わって経験する事項を示したものである。 ✕

A 12 子どもが人と関わる力を育てていくため、子どもも自らが周囲の子どもや大人と関わっていくことができる環境を整えることとしている。 ✕

A 13 健康な心と体、自立心、協同性、道徳性・規範意識の芽生え、社会生活との関わり、思考力の芽生え、自然との関わり・生命の尊重、数量や図形、標識や文字などへの関心・感覚、言葉による伝え合い、豊かな感性と表現を幼児期の終わりまでに育ってほしい姿としてあげている。 ○

A 14 「保育所保育指針」の「人間関係」では、「他の人々と親しみ、支え合って生活するために、自立心を育て、人と関わる力を養う」としている。 ✕

A 15 保育における教育とは、子どもが健やかに成長し、活動がより豊かに展開されるための発達の援助である。 ✕

Q 16 「保育所保育指針」の「環境」では、「周囲の様々な環境に主体性をもって関わり、それらを生活に取り入れていこうとする力を養う」としている。 指針

Q 17 「保育所保育指針」では、乳幼児期にふさわしい体験が得られるように、日々の生活を通して総合的に保育することとしている。 指針

Q 18 保育所は、定期的に外部の者による評価を受けなければならない。 基準

Q 19 保育所では、満1歳以上満3歳未満の幼児おおむね3人につき1人以上保育士を配置しなければならない。 基準

Q 20 「保育所保育指針」では、保育の環境には、保育士等や子どもなどの人的環境、施設や遊具などの物的環境があるとし、自然や社会の事象は保育の環境に含めていない。 指針

Q 21 保育士等は、保育所の設備や環境を整え、保育所の保健的環境や安全の確保などに努める。 指針

Q 22 保育所では、障害など特別な配慮を必要とする子どもの保育を全体的な計画に位置づけることが求められる。

Q 23 子どもの入所時の保育にあたっては、できるだけ個別的に対応し、子どもが安定感を得られるようにする。 指針

A 16 「周囲の様々な環境に好奇心や探究心をもって関わり、それらを生活に取り入れていこうとする力を養う」としている。

A 17 乳幼児期にふさわしい体験が得られるように、生活や遊びを通して総合的に保育することとしている。

A 18 「児童福祉施設の設備及び運営に関する基準」において、定期的に外部の者による評価を受けて、それらの結果を公表し、常にその改善を図るよう努めなければならないとしている。

A 19 「児童福祉施設の設備及び運営に関する基準」では、保育所では、満1歳以上満3歳未満の幼児おおむね6人に1人以上配置しなければならないとしている。

A 20 「保育所保育指針」では、保育の環境には、保育士等や子どもなどの人的環境、施設や遊具などの物的環境、更には自然や社会の事象などがあるとしている。

A 21 「保育所保育指針」では、「子どもの活動が豊かに展開されるよう、保育所の設備や環境を整え、保育所の保健的環境や安全の確保などに努めること」としている。

A 22 「保育所保育指針解説」では、障害など特別な配慮を必要とする子どもの保育を指導計画に位置づけることが求められるとしている。

A 23 子どもの入所時の保育にあたっては、できるだけ個別的に対応し、子どもが安定感を得て、次第に保育所の生活になじんでいけるようにする。

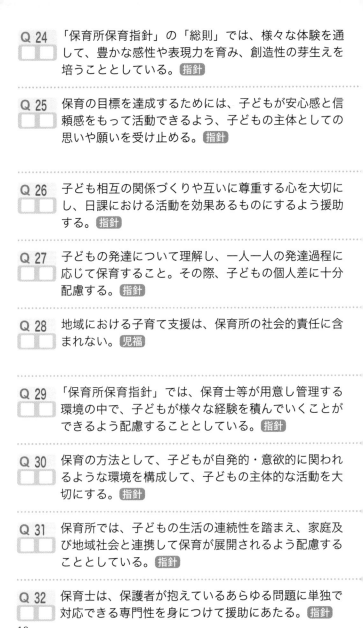

Q 24 「保育所保育指針」の「総則」では、様々な体験を通して、豊かな感性や表現力を育み、創造性の芽生えを培うこととしている。 指針

Q 25 保育の目標を達成するためには、子どもが安心感と信頼感をもって活動できるよう、子どもの主体としての思いや願いを受け止める。 指針

Q 26 子ども相互の関係づくりや互いに尊重する心を大切にし、日課における活動を効果あるものにするよう援助する。 指針

Q 27 子どもの発達について理解し、一人一人の発達過程に応じて保育すること。その際、子どもの個人差に十分配慮する。 指針

Q 28 地域における子育て支援は、保育所の社会的責任に含まれない。 児福

Q 29 「保育所保育指針」では、保育士等が用意し管理する環境の中で、子どもが様々な経験を積んでいくことができるよう配慮することとしている。 指針

Q 30 保育の方法として、子どもが自発的・意欲的に関われるような環境を構成して、子どもの主体的な活動を大切にする。 指針

Q 31 保育所では、子どもの生活の連続性を踏まえ、家庭及び地域社会と連携して保育が展開されるよう配慮することとしている。 指針

Q 32 保育士は、保護者が抱えているあらゆる問題に単独で対応できる専門性を身につけて援助にあたる。 指針

A 24 現在を最も良く生き、望ましい未来をつくり出す力の基礎を培うために目指される目標の一つである。 ○

A 25 一人一人の子どもの状況や家庭および地域社会での生活の実態を把握するとともに、子どもが安心感と信頼感をもって活動できるよう、子どもの主体としての思いや願いを受け止める。 ○

A 26 子ども相互の関係づくりや互いに尊重する心を大切にし、集団における活動を効果あるものにするよう援助する。 ×

A 27 保育の目標を達成するために、保育士等が留意して保育しなければならない事項として示されている。 ○

A 28 「児童福祉法」で地域住民に対する保育に関する情報提供、乳幼児等の保育に関する相談、助言を行うよう努めることなどが規定されている。 ×

A 29 子ども自らが環境に関わり、自発的に活動し、様々な経験を積んでいくことができるよう配慮することとしている。 ×

A 30 自発的・意欲的に関われるような環境を構成し、子どもの主体的な活動や子ども相互の関わりを大切にする。 ○

A 31 「保育所保育指針」第2章「保育の内容」（3）家庭及び地域社会との連携に示され、さまざまな地域の資源を活用することも示されている。 ○

A 32 単独ではなく、職員間で連携をとりながら対応する。 ×

3 保育所保育の内容

Q 33 「保育所保育指針」に示されているねらいは、保育の目標をより具体的に表したものである。指針

Q 34 「保育所保育指針」のねらいでは、子どもの生活やその状況に応じて保育士等が適切に行うべき内容が示されている。指針

Q 35 「保育所保育指針」では、保育のねらい及び内容について、5つの領域に分けて示されている。指針

Q 36 「児童福祉施設の設備及び運営に関する基準」によると、保育所における保育の内容は内閣総理大臣が定める指針に従うとしている。基準

Q 37 情緒の安定のねらいとして、「一人一人の子どもの生理的欲求が、十分に満たされるようにする」があげられている。指針

Q 38 「保育所保育指針」では、ねらい及び内容が養護と教育の両面から示され、この2つは別々に展開されなければならない。指針

Q 39 生命の保持のねらいとして、「一人一人の子どもが、自分の気持ちを安心して表すことができるようにする」があげられている。指針

Q 40 「保育所保育指針」では、1歳以上3歳未満児に関する記述として、身近な環境に自分から関わり、発見を楽しんだり、考えたりし、それを生活に取り入れようとするとしている。指針

A 33 「保育所保育指針」に示されているねらいには、養護のねらいと教育のねらいがある。 ○

A 34 子どもの生活やその状況に応じて保育士等が適切に行う事項が示されているのは、内容においてである。 ×

A 35 保育のねらい及び内容を健康、人間関係、環境、言葉、表現としてまとめ、示している。 ○

A 36 保育所における保育の内容については、内閣総理大臣が定める指針に従うとされ、「保育所保育指針」を指している。 ○

A 37 「一人一人の子どもの生理的欲求が、十分に満たされるようにする」は、生命の保持のねらいである。 ×

A 38 ねらいと内容は養護と教育の両面から示されているが、実際の保育においては養護と教育が一体となって展開されるよう留意しなければならない。 ×

A 39 「一人一人の子どもが、自分の気持ちを安心して表すことができるようにする」は、情緒の安定のねらいとしてあげられている。 ×

A 40 「身近な環境に自分から関わり、発見を楽しんだり、考えたりし、それを生活に取り入れようとする」は、3歳以上児に関する記述である。 ×

Q 41 子どもの興味や関心の違いを認め、互いに尊重する心を育てるよう配慮する。 指針

Q 42 子どもの経験や発達段階にも留意しつつ、性別などによる差別的な意識を植え付けることがないよう配慮する。 指針

Q 43 乳児保育では、玩具などは、音質、形、色、大きさなど子どもの発達状態に応じて適切なものを選び、その時々の子どもの興味や関心を踏まえるなど、遊びを通して感覚の発達が促されるものとなるように工夫する。 指針

Q 44 「保育所保育指針」第2章「保育の内容」に示されている「内容」は、保育を通じて育みたい資質・能力を、子どもの生活する姿から捉えたものである。 指針

Q 45 一人一人の子どもの生活のリズム、発達過程、保育時間などに応じて、活動内容のバランスや調和を図りながら、適切な食事や休息が取れるようにする。 指針

Q 46 1歳以上3歳未満児では、保育士等が仲立ちとなって、自分の気持ちを相手に伝えることや相手の気持ちに気付くことの大切さなど、友達の気持ちや友達との関わり方を丁寧に伝えていく。 指針

Q 47 乳児は疾病への抵抗力が弱く、心身の機能の未熟さに伴う疾病の発生が多いことから、保健的な対応は看護師や嘱託医が行う。 指針

Q 48 担当の保育士が替わる場合には、子どものそれまでの生育歴や発達過程に留意し、職員間で協力して対応する。 指針

A 41 子どもの国籍や文化の違いを認め、互いに尊重する心を育てるよう配慮する。 ✕

A 42 子どもの性差や個人差にも留意しつつ、性別などによる固定的な意識を植え付けることがないよう配慮する。 ✕

A 43 「保育所保育指針」第2章「内容」（2）ねらい及び内容ウ「身近なものと関わり感性が育つ」の内容の取り扱いに示されている。 ○

A 44 保育を通じて育みたい資質・能力を、子どもの生活する姿から捉えたものは「ねらい」である。 ✕

A 45 「保育所保育指針」第1章「総則」の「養護に関する基本的事項」の「情緒の安定」で述べられている。 ○

A 46 「保育所保育指針」第2章「保育の内容」2「1歳以上3歳未満児の保育に関わるねらい及び内容」（2）ねらい及び内容イ人間関係(ウ)内容の取扱い③に示されている。 ○

A 47 一人一人の発育及び発達状態や健康状態についての適切な判断に基づく保健的な対応を行うこととしている。職種には触れていない。 ✕

A 48 「保育所保育指針」第2章で、乳児保育の実施に関わる配慮事項として述べられている。 ○

4 保育所保育の計画と評価

Q 49 保育所は、全体的な計画に基づき、長期的な指導計画と短期的な指導計画を作成しなければならない。 `指針`

Q 50 保育所の保育の方針や理念に基づき、子どもの発達過程を踏まえて、保育の内容が個別的・計画的に構成され、保育所の生活の全体を通して、総合的に展開されるよう、全体的な計画を作成しなければならない。 `指針`

Q 51 全体的な計画は、施設長の責任で作成され、職員はそれに従わなければならない。 `指針`

Q 52 障害のある子どもの就学にあたっては、就学に向けた支援の資料を作成するなど、保育所等で行われてきた支援が就学以降も継続していくように留意する。

Q 53 3歳未満児の指導計画は一人一人の子どもの生育歴、心身の発達、活動の実態等に即して作成し、個別的な計画は必要に応じて作成する。 `指針`

Q 54 指導計画に基づく保育を実施する場合、保育の過程を記録しなければならない。 `指針`

Q 55 3歳以上児の指導計画作成にあたっては、「幼児期の終わりまでに育ってほしい姿」を到達目標として、就学前の時期にそれらが身に付くよう計画し、評価・改善することが必要である。 `指針`

Q 56 保育士等の自己評価にあたっては、子どもの活動内容とその結果を重視する。 `指針`

A 49 子どもの生活や発達を見通した長期的な指導計画と、それに関連しながら、より具体的な子どもの日々の生活に即した短期的な指導計画を作成しなければならない。　○

A 50 保育所の保育の方針や目標に基づき、子どもの発達過程を踏まえて、保育の内容が組織的・計画的に構成され、保育所の生活の全体を通して、総合的に展開されるよう、全体的な計画を作成しなければならない。　×

A 51 施設長の責任において作成されるが、全職員の共通理解のもとで作成されなければならない。　×

A 52 「保育所保育指針解説」では、「就学に向けた支援の資料を作成するなど、保育所や児童発達支援センター等の関係機関で行われてきた支援が就学以降も継続していくよう留意する」としている。　○

A 53 3歳未満児の指導計画については、一人一人の子どもの生育歴、心身の発達、活動の実態等に即して、個別的な計画を作成することとされている。　×

A 54 子どもの実態や子どもを取り巻く状況の変化等に即して保育の過程を記録しなければならない。　○

A 55 3歳以上児については、個の成長と、子どもの相互の関係や協同的な活動が促されるよう配慮することとしている。　×

A 56 子どもの心の育ちや意欲、取り組む過程などにも十分配慮するよう留意することとしている。　×

5　多様な子育て支援と保育ニーズ

Q 57　子どもが虐待を受けている場合でも、保護者や子どものプライバシー保護のため、他の機関に通告しない。
指針

Q 58　「保育所保育指針」では、保育所が地域の子どもに一時預かりなどを行う際には、子どもの心身の状態などを考慮するとしている。指針

Q 59　わが国の子どもがいる世帯のうちひとり親世帯の貧困率は、国際比較では低い数値である。

Q 60　小規模保育事業とは、利用定員が19人以下の保育所をいう。

Q 61　保育所が行う一時預かり事業では、1日の生活の流れに慣れることを考え、保育所で行っている活動や行事に参加することは避けるように配慮する。

Q 62　子育て援助活動支援事業（ファミリー・サポート・センター事業）は、会員組織により援助を受けたい人と援助をしたい人の相互援助で実施される地域子ども・子育て支援事業のことである。

Q 63　「保育所保育指針」では、保護者に育児不安等が見られる場合には、保育所が面接時間を決めて個別支援を行うとしている。指針

Q 64　家庭的保育事業者等は、市町村が条例で定める基準を超えて、常にその設備及び運営を向上させなければならない。

A 57 「保育所保育指針」では、虐待が疑われる場合には、速やかに市町村または児童相談所に通告し、適切な対応を図ることとしている。 ×

A 58 一人一人の子どもの心身の状態などを考慮し、日常の保育との関連に配慮するなど、柔軟に活動を展開できるようにするとしている。 ○

A 59 「男女共同参画白書令和6年版」によると、わが国のひとり親世帯の貧困率は2021（令和3）年において44.5%で、OECD加盟36か国中32位である。 ×

A 60 小規模保育事業は、保育を必要とする乳幼児を保育することを目的とする施設で利用定員が6人以上19人以下のものをいう。 ×

A 61 「保育所保育指針解説」では、状況に応じて保育所で行っている活動や行事に参加するなど、柔軟な保育を行うことが大切であるとしている。 ×

A 62 子育て援助活動支援事業（ファミリー・サポート・センター事業）は、保育施設への送迎、急な残業や子どもの病気などの時に、地域住民同士で援助を行うサービスである。 ○

A 63 保護者に育児不安等が見られる場合には、保育所は保護者の希望に応じて個別の支援を行うように努めるとしている。 ×

A 64 「家庭的保育事業等の設備及び運営に関する基準」第4条に規定され、第2条では市町村が条例で定める基準を「最低基準」としている。 ○

6 苦情解決と第三者評価

Q 65 保育サービスの質の向上を図るために自己評価が必要である。そのほかに客観的な評価も必要であるため、第三者評価を実施する。

Q 66 第三者評価では、保育所の最低基準について評価を行う。

Q 67 児童養護施設等の社会的養護関係施設は、福祉サービス第三者評価を受けることが義務づけられている。 基準

Q 68 保育所における苦情は、施設長の責任の下、保育所内で解決することが望ましく、中立・公正な立場の職員で評価委員会を設置する。

Q 69 第三者評価にあたっては、入所児童の保護者などからのヒアリングやアンケートも行われる。

Q 70 第三者評価の結果は、悪い結果のみ、インターネットや冊子を通じて公表される。

Q 71 第三者評価機関については、認定機関の認証を受けなければならない。

Q 72 「児童福祉施設の設備及び運営に関する基準」において、保育所は、第三者評価の受審義務がある。 基準

A 65 第三者評価とは、<u>公正</u>・<u>中立</u>な立場にある第三者機関が、専門的・客観的な立場から評価することをいう。　○

A 66 保育所の<u>最低基準</u>を評価するのは、行政による<u>監査</u>である。第三者評価では、<u>最低基準以上</u>のサービスの質の向上を促進するための基準が評価対象となる。　×

A 67 第三者評価の受審義務がある社会的養護関係施設とは、<u>乳児院</u>、母子生活支援施設、児童養護施設、児童心理治療施設、<u>児童自立支援施設</u>、里親支援センターをいう。　○

A 68 苦情に対応するための体制として、<u>中立・公正な第三者の関与</u>を組み入れるために<u>第三者委員</u>を設置することが求められている。　×

A 69 第三者評価にあたって、<u>ヒアリング</u>や<u>アンケート</u>を行うことで、サービス内容に対する利用者の<u>認識を把握</u>することができる。　○

A 70 評価結果は、結果の<u>善し悪し</u>にかかわらず、基本的には第三者評価を受けたすべての事業者について、インターネットや冊子などを通じて<u>公表</u>することになっている。　×

A 71 第三者評価機関が<u>認定機関</u>に認証の申請を行い、認証されたものだけが<u>第三者評価</u>を行える。　○

A 72 保育所の自己評価は<u>義務</u>、第三者評価受審は<u>努力義務</u>としている。　×

Q 73 福祉サービスの苦情解決のシステムについては、「児童福祉法」など福祉六法に規定されている。

Q 74 福祉サービス利用者は、直接、苦情を運営適正化委員会に申し出ることができる。

Q 75 運営適正化委員会は、都道府県社会福祉協議会に設置される。

Q 76 運営適正化委員会は、苦情処理を適切に解決するため「児童福祉法」に基づき、福祉サービス事業者に対して勧告を行う。

Q 77 運営適正化委員会は、虐待や法令違反など明らかに改善を要する重大な不当行為等に関する内容の苦情を受けた場合には都道府県知事に通知する。

Q 78 福祉サービス利用者から都道府県に苦情申し出があった場合、申し出の内容によってどこが解決を図るかを都道府県が選択する。

Q 79 苦情は、保護者等からの問題提起として受けとめ、保育を見直したり改善するための材料として捉える。

Q 80 事業者に持ち込まれた苦情が事業者段階で解決を図れない場合には、運営適正化委員会にあっせんを求めることができる。

A 73 福祉サービスの<u>苦情解決</u>のシステムについて規定しているのは、「<u>社会福祉法</u>」である。なお「社会福祉法」は福祉六法に含まれていない。　×

A 74 福祉サービス利用者は、苦情を<u>事業者</u>に対して申し出るか、運営適正化委員会、<u>都道府県</u>に申し出る。　○

A 75 <u>運営適正化委員会</u>は都道府県社会福祉協議会に設置される、福祉サービスに関する利用者等からの苦情を適切に処理するための、公正・中立な<u>第三者機関</u>である。　○

A 76 運営適正化委員会は、「<u>社会福祉法</u>」に基づき、福祉サービス事業者に対して、<u>適正な運営</u>を行うために必要なときには<u>助言</u>や勧告を行う。　×

A 77 運営適正化委員会は<u>都道府県知事</u>に通知し、情報の提供も行う。　○

A 78 都道府県は、福祉サービス利用者からの<u>苦情の内容</u>によって事業者段階、運営適正化委員会、<u>直接監査</u>のいずれかを選択して解決を図る。　○

A 79 苦情は、保護者等からの問題提起と受け止め、苦情解決を通して、自らの保育や保護者等への対応を<u>謙虚</u>に振り返り、保育を<u>見直したり改善したり</u>するための材料として捉えることが必要である。　○

A 80 運営適正化委員会は、事業者段階で<u>解決が困難</u>な事例について<u>あっせん</u>を行う。　○

7 保育士の資格

Q 81 保育士の守秘義務が「児童福祉法」に規定されたのは、2001（平成13）年の改正によってである。[児福]

Q 82 保育士の資格を所持していない者は、保育士を名乗ることも保育を行うこともできない。[児福]

Q 83 保育所は、質の高い保育を展開するために、絶えず一人一人の職員についての資質の向上と職員全体の専門性の向上を図らなければならない。[指針]

Q 84 子どもの最善の利益を考慮し、人権に配慮した保育を行うため、保育所職員の責任感と信頼感が基盤となる。[指針]

Q 85 施設長は、保育所の保育課程や、各職員の職位等を踏まえて、体系的・計画的な研修機会を確保するよう努めなければならない。[指針]

Q 86 保育の質の向上を図っていくためには、日常的に職員同士が主体的に学び合う姿勢と環境が重要である。[指針]

Q 87 保育所の研修計画は、すべての職員に対応できる一律の内容とすることが必要である。[指針]

A 81 2001（平成13）年の改正では、保育士の守秘義務のほか<u>信用失墜行為</u>の禁止も加えられた。

A 82 保育士の資格は<u>名称独占資格</u>であるため、保育士の資格がなくても<u>保育</u>を行うことはできる。

A 83 保育所は、質の高い保育を展開するために、<u>絶えず</u>一人一人の職員についての資質の向上と職員全体の専門性の向上を図るように<u>努めなければならない</u>としている。 ✕

A 84 職員一人一人の<u>倫理</u>観、人間性並びに保育所職員としての職務及び責任の<u>理解</u>と<u>自覚</u>が基盤となる。

A 85 施設長は、保育所の<u>全体的な計画</u>や、各職員の研修の必要性等を踏まえて、<u>体系的・計画的</u>な研修機会を確保するとともに、職員の勤務体制の工夫等により、職員が計画的に研修等に参加し、その<u>専門性</u>の向上が図られるよう努めなければならない。 ✕

A 86 保育の課題等への<u>共通理解</u>や協働性を高め、保育所全体としての保育の質の向上を図っていくためには、日常的に職員同士が<u>主体的</u>に学び合う姿勢と環境が重要であり、職場内での<u>研修</u>の充実が図られなければならないとしている。

A 87 保育所においては、当該保育所における保育の課題や各職員の<u>キャリアパス</u>等も見据えて、初任者から管理職員までの職位や<u>職務内容</u>等を踏まえた体系的な研修計画を作成しなければならない。 ✕

8 わが国の保育の思想と歴史

Q 88 貧困家庭の子どもたちのための保育所が明治期につくられ、そのうち二葉幼稚園は赤沢鍾美が慈善活動として開設した。 人物

Q 89 わが国で最初の季節託児所とされているのは、愛染橋保育所である。

Q 90 フレーベルの恩物は、明治時代に中村正直が編集した『幼稚園法二十遊嬉』等によってわが国に紹介された。

Q 91 1947（昭和22）年に、幼稚園に関する最初の独立した法律である「幼稚園令」が制定された。

Q 92 東京女子師範学校附属幼稚園の創設時の主任保母として保母たちの指導にあたったのは豊田芙雄である。 人物

Q 93 1948（昭和23）年に文部省から出された「保育要領」は幼児教育の手引書である。

Q 94 童謡などに動きを振り付けた律動的表情遊戯を創作したのは土川五郎である。 人物

A 88 貧困家庭の子どもたちのために二葉幼稚園を開設したのは、野口幽香と森島峰である。のちに二葉保育園に改称した。赤沢鍾美は、貧しい子どもとその弟妹を預かる新潟静修学校附設託児所を開設した。 ☒

A 89 季節託児所とは、農繁期などにだけ開設される託児所をいう。わが国で最初の季節託児所は、筧雄平が鳥取県の農村で開設した農繁期託児所とされている。 ☒

A 90 『幼稚園法二十遊嬉』を編集したのは、東京女子師範学校附属幼稚園初代監事（園長）の関信三である。 ☒

A 91 「幼稚園令」は、1926（大正15）年に制定された。これによって幼稚園が小学校から独立した施設として位置づけられた。 ☒

A 92 東京女子師範学校附属幼稚園の創設時の主任保母として保母たちの指導にあたったのは松野クララである。 ☒

A 93 「保育要領」は、幼稚園のみならず保育所や子どもを育てる母親を対象とする幅広い手引書であった。 ⭕

A 94 土川五郎は、リズミカルな歌曲に動きを振り付けた律動遊戯と、童謡などに動きを振り付けた律動的表情遊戯を創作した。 ⭕

Q 95 石井亮一は、わが国で最初の知的障害児施設である滝乃川学園を創設した人物である。 人物

Q 96 糸賀一雄は、「この子らを世の光に」と主張した人物である。 人物

Q 97 著書の中で、幼稚園、保育所の保育案は「社会協力」ということを指導原理として作製されなければならないものであるとしたのは、城戸幡太郎である。 人物

Q 98 「知的障害は治る」という考え方に基づいて知的障害児の教育に携わったのは、石井十次である。 人物

Q 99 石井十次は、岡山孤児院の付属であった愛染橋保育所を創設した人物である。 人物

Q 100 城戸幡太郎は児童文化に関心をもち、『キンダーブック』の創刊・編集に携わり、「お茶の水人形座」を創設した人物である。 人物

Q 101 スラムで伝道活動を行い、明治から昭和の時代に活躍した社会運動家である和田実は友愛幼児園を設立した。 人物

Q 102 東基吉は、『幼稚園保育法』を書いた。 人物

Q 103 園舎をもたない幼稚園として橋詰良一がはじめたのは愛珠幼稚園である。 人物

A 95 石井亮一は、人類愛の精神に基づいて、わが国最初の知的障害児施設である滝乃川学園を創設した。 ○

A 96 糸賀一雄は知的障害児施設や重症心身障害児施設を設立し、「この子らを世の光に」と主張した。 ○

A 97 城戸幡太郎は、幼稚園と保育所との教育は、この原理によって統一されるとしている。 ○

A 98 「知的障害は治る」とし、知的障害児の教育に携わったのは川田貞治郎である。藤倉学園の初代園長で、キリスト教的博愛精神に基づいて知的障害児教育を行った。 ×

A 99 石井十次は、家族舎制度と里親制度の導入や収容児の年齢的発達区分による保護教育体制の整備などの試みを行った。 ○

A 100 児童文化に関心をもち、『キンダーブック』の創刊・編集に携わり、「お茶の水人形座」を創設したのは倉橋惣三である。 ×

A 101 キリスト教の考え方に基づいてスラムで伝道活動を行ったのは賀川豊彦である。無料保育所である友愛幼児園を設立した人物である。 ×

A 102 東基吉は、日本において形骸化した恩物中心の保育を批判し、『幼稚園保育法』を書き、幼児の自己活動を重視した。 ○

A 103 橋詰良一がはじめたのは、家なき幼稚園である。愛珠幼稚園は1880（明治13）年に大阪の町会が設立し、のちに大阪市立幼稚園になった。 ×

Q 104 マクミラン姉妹が創設した保育学校は、アメリカの保育学校のモデルとされた。 人物

Q 105 『幼児教育書簡』『リーンハルトとゲルトルート』は、ルソーの教育方法を著している。 人物

Q 106 モンテッソーリは、青年期を敏感期ととらえた。 人物

Q 107 ルソーは『エミール』において、人間の心は、その誕生の段階において、いかなる観念や原理も書き込まれていないまっさらな白紙の状態であるとした。 人物

Q 108 デューイは、1907年に「子どもの家」の初代教育主任に就いた。 人物

Q 109 フレーベルは、世界で最初の幼稚園を創設した人物で、彼の考え方は多くの国の幼児教育に大きな影響を与えた。 人物

Q 110 コメニウスは、幼児教育における母親の役割の重要性を説き、事物による教育を提唱した。 人物

Q 111 ペスタロッチは、幼児教育における家庭の役割を重視した。 人物

A 104 マクミラン姉妹が創設した保育学校は、<u>イギリス</u>の保育学校（ナーサリースクール）のモデルとされた。 ✕

A 105 『幼児教育書簡』『リーンハルトとゲルトルート』は<u>ペスタロッチ</u>の教育方法の著作である。ルソーの代表的著書は『<u>エミール</u>』である。 ✕

A 106 <u>モンテッソーリ</u>は、発達初期（幼児期）を<u>敏感期</u>としてとらえ、感覚運動能力の育成こそ人間のあらゆる能力の発達の基礎であるとして、感覚訓練を目的とした教具を開発した。 ✕

A 107 誕生の段階でまっさらな白紙の状態であるとしたのは、<u>ロック</u>である。ロックは<u>タブラ・ラサ</u>(白紙説)において、環境や経験によって子どもはどのようにも変化するとした。 ✕

A 108 1907年に「子どもの家」の初代教育主任に就いたのは<u>モンテッソーリ</u>である。ここで、国立特殊児童学校で開発した<u>障害児</u>の教育方法を幼児に適用した。 ✕

A 109 幼児期における<u>遊び</u>は、この時期の子どもの最も美しい表れと主張し、教育の目的は人間の内にある神的なものを発展させることだとする<u>人間の教育</u>を提唱した。 ◯

A 110 コメニウスは、幼児教育における<u>母親の役割</u>を説き、事物による教育である<u>直観教授</u>を提唱した。 ◯

A 111 <u>ペスタロッチ</u>は、幼児教育における家庭の役割、特に<u>母親の役割</u>を重視した。 ◯

Q 112 エレン・ケイは、幼児保護所を開設し、子どもの保護のほか、楽しく遊ぶことや教育を実施した。 人物

Q 113 オーベルランは、放任されていた子どもたちのために幼児保護所を開設した。 人物

Q 114 保育者の役割として遊び仲間、共同探求者、活動モデルの３つをあげたのは、アイザックスである。 人物

Q 115 アメリカの婦人宣教師で、神戸の頌栄幼稚園を創立したのはハウである。 人物

Q 116 ルソーは、フランスの新教育運動の先駆者で、社会中心主義を基本原理とした。 人物

Q 117 「自然の教育」「事物の教育」「人間の教育」を説いたのは、ボウルビィである。 人物

Q 118 フレーベルは、『子供の誕生』を著し、子どもには「子ども期」があるとした。 人物

Q 119 自分が経営する紡績工場の中に幼児学校を創設したのはオーエンである。 人物

A 112 <u>幼児保護所</u>を開設したのは<u>オーベルラン</u>である。エレン・ケイは、『児童の世紀』を著し、「20世紀は<u>児童の世紀</u>である」と述べた。 ✕

A 113 <u>オーベルラン</u>は、<u>世界初の保育施設</u>である幼児保護所を開設した。施設では宗教教育、フランス語に加え、裁縫、レース編みなども教えられ、<u>編み物学校</u>ともよばれた。 ◯

A 114 アイザックスは、デューイに倣った<u>実験的教育</u>を行った人物である。幼児の思考の<u>論理性</u>を主張し、<u>ピアジェ</u>が幼児期の特徴として指摘した自己中心性の概念を批判した。 ◯

A 115 <u>ハウ</u>は、<u>頌栄</u>幼稚園、頌栄保母伝習所を創立し、<u>フレーベル保育</u>理論の普及に力を注いだ。 ◯

A 116 ルソーは、<u>児童中心主義</u>を基本原理とした消極（的）教育を行った。 ✕

A 117 「自然の教育」「事物の教育」「人間の教育」を説いたのは<u>ルソー</u>である。ボウルビィは乳幼児の精神衛生の状況を視察し、<u>愛着理論</u>を展開した。 ✕

A 118 『子供の誕生』のなかで、子どもにはかけがえのなさと固有の性質があり、「<u>子ども期</u>」があるとしたのは<u>アリエス</u>である。 ✕

A 119 <u>オーエン</u>は、自分が経営する<u>紡績工場</u>の中に、幼児の自発的で自由な活動を重視する<u>幼児学校</u>を創設した。 ◯

事例問題トレーニング ❶

次の文は、ある保育所における【事例】である。

【事例】

　入所して半年が経つK君（3歳）は、保育所での生活に慣れて友だちと仲良く遊べるようになっている。しかし、まだ言葉によるコミュニケーションが上手にとれないため、ときどき泣き出すことがある。泣きながら一生懸命に自分の気持ちを伝えようとするが、思うようにいかないこともあり、保育士に助けを求めるときもある。

問題

この事例において、適切な対応を○、不適切な対応を×として答えなさい。

Q120　自分で解決する力をつけていくようにするため、K君が泣いて助けを求めてきても、保育士は関わらないようにする。

Q121　K君が泣きだす前に、保育士がK君の言葉を友だちに伝えるようにする。

Q122　K君が助けを求めてきたときには、泣き止むのを待って、K君と一緒にどのように話せばよいのかを考えてみる。

Q123　保育士は、K君の気持ちが伝わらなくても、分かったようなふりをして対応する。

Q124　K君に、自分で友だちに伝えるように厳しく指導する。

Q125　K君に対する言葉かけの回数を増やし、言葉のやり取りを経験によって覚えられるようにする。

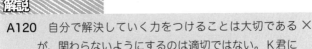

A120 自分で解決していく力をつけることは大切である ×
が、関わらないようにするのは適切ではない。K君に
関わりながら、どうすれば友だちに上手に伝えられる
かを一緒に考えることが大切である。

A121 K君が泣きだす前に、K君の言葉を保育士が伝えた ×
のでは、K君のコミュニケーション能力が発達しな
い。どうしても伝わらない場合に、保育士が助言しな
がら、K君の言葉で伝えることが大切である。

A122 K君が自分の言葉で友だちに伝える方法を考える ◯
ことが大切である。泣き止むのを待つことで、K君が
落ち着き、一緒に考えることができるようになる。

A123 保育士が分かったようなふりをすることは、子ども ×
であってもK君の気持ちを傷つけることにもつなが
る。

A124 厳しく指導しても、K君と友だちとのコミュニケー ×
ションがうまくいくようになるとはいえない。厳しく
指導するのではなく、保育士が伝え方の見本を示すな
どしていくことが大切である。

A125 実際に保育士との言葉のやり取りをたくさん経験 ◯
することで、コミュニケーションの方法が身について
いくことも考えられる。一人ひとりの子どもに合わせ
た対応が大切である。

子どもの自主性を尊重しつつ、必要な助言を行う
ことがこの問題のポイントです。

事例問題 トレーニング ❷

次の文は、ある保育所における【事例】である。

【事例】

　Mちゃん（女児）は、一人っ子で、0歳児のときからP保育所に通っている。3歳になるが、自分から保育士の手伝いをしようとしたり、2歳児の手助けをしたりするなど順調に発達している様子がみられる。しかし、2か月ほど前から保育士から離れず「だっこ」と言って甘えたり、母親が迎えに来ると、「くっく履かせて」とせがんだり、「おんぶ」と言ったりして母親を困らせている。保育士が母親に確認したところ、2人目の子どもを妊娠したため、Mちゃんに「もうすぐお姉ちゃんになるのだからしっかりしてね」と伝えたと話してくれた。その直後から、Mちゃんの様子が変わったということである。

問題

保育士の母親への助言として適切なものを〇、不適切なものを×としなさい。

Q126 Mちゃんの行動は「赤ちゃん返り」と考えられることを伝え、Mちゃんに接する時間を増やすように伝える。

Q127 2人目の子どもが生まれることを少しずつMちゃんが理解し、生まれてくることが楽しみになるように話していくよう伝える。

Q128 何らかの障害があるのかもしれないので、専門医を受診するように伝える。

Q129 保育所でも甘えさせないようにするので、自宅でも甘やかさないように伝える。

解説

A126 母親がMちゃんに接する時間を増やすことで、母 ○
親を誰かに取られてしまうという気持ちが薄らぎ、M
ちゃんに安心感を与えることができると考えられる。

A127 母親からいきなり「もうすぐお姉ちゃんになるのだ ○
からしっかりしてね」と伝えられ、Mちゃんが混乱
していると考えられる。少しずつ赤ちゃんが生まれて
くることを理解させ、赤ちゃんの誕生を楽しみに待て
る気持ちを持てるようにしていくことは大切である。

A128 Mちゃんは3歳まで順調に発達している。現在の ×
行動は、状況から考えて何らかの障害ではなく、「赤
ちゃん返り」という退行（適応機制）といえる。専門
医を受診するように伝えることは適切ではない。

A129 「赤ちゃん返り」が見られる子どもの場合、周囲の ×
人に甘えさせることで不安感が薄らぐといえる。保育
所や自宅で、可能な限り甘えさせて不安感を取り除い
ていくことが必要である。

赤ちゃん返りしている子どもの気持ちを理解し、でき
るかぎり安心感を与えるような助言を行うことがこの
問題のポイントです。

Point 1 「保育所保育指針」

保育所における保育内容の向上・充実を図るためのガイドラインです。

●「保育所保育指針」における保育所の定義

第1章「総則」
　保育所は、児童福祉法第39条の規定に基づき、保育を必要とする子どもの保育を行い、その健全な心身の発達を図ることを目的とする児童福祉施設（以下略）

●「保育所保育指針」における保育所の役割

第1章「総則」
　保育所は、入所する子どもを保育するとともに、家庭や地域の様々な社会資源との連携を図りながら、入所する子どもの保護者に対する支援及び地域の子育て家庭に対する支援等を行う役割を担うものである。
　保育所における保育士は、児童福祉法第18条の4の規定を踏まえ、保育所の役割及び機能が適切に発揮されるように、倫理観に裏付けられた専門的知識、技術及び判断をもって、子どもを保育するとともに、子どもの保護者に対する保育に関する指導を行うものであり、その職責を遂行するための専門性の向上に絶えず努めなければならない。

得点UPの 保育所等関連状況取りまとめのポイント

〇保育所等利用定員は 305 万人（前年比 0.7 万人の**増加**）

〇保育所等を利用する児童の数は 272 万人（前年比1.3 万人の**減少**）

〇待機児童数は **2,680** 人で前年比 264 人の**減少**

・待機児童のいる市区町村は前年から 21 減少して **231** 市区町村。

・待機児童が 100 人以上の市区町村は**なし**。

・待機児童が 100 人以上増加した市区町村は**なし**。待機児童が
　100 人以上減少したのは、鹿児島市（115 人減）のみ。

＊すべて令和 5 年 4 月 1 日現在

Point 2 子ども・子育て支援に関する主な施策

国は、子育て支援に関するさまざまな施策を策定してきました。

● **子育て支援に関する主な施策**

エンゼルプラン 1994（平成6）年	正式名称は「今後の子育て支援のための施策の基本的方向について」
新エンゼルプラン 1999（平成11）年	正式名称は「重点的に推進すべき少子化対策の具体的実施計画について」
少子化社会対策大綱 2004（平成16）年	「少子化社会対策基本法」（2003年9月施行）に基づいて定められたもの
子ども・子育て応援プラン 2004（平成16）年	正式名称は「少子化社会対策大綱に基づく重点施策の具体的実施計画について」。**新エンゼルプラン**の後継に位置づけられる
新待機児童ゼロ作戦 2008（平成20）年	保育サービスの「**量**」と「**質**」の拡充を図り、10年後の待機児童ゼロをめざす
子ども・子育てビジョン 2010（平成22）年	「少子化社会対策大綱」の見直しにともない、**ワーク・ライフ・バランス**の実現などを定めた
待機児童解消加速化プラン 2013（平成25）年	2014年度末までを緊急集中取組期間とし、2017年度末までの待機児童解消をめざす
ニッポン一億総活躍プラン 2016（平成28）年	子育て社会や社会保障の基盤を強化し、**新たな経済社会**のシステム創りに挑戦する
子育て安心プラン 2017（平成29）年	待機児童解消を目的として、意欲的に取り組んでいる自治体を支援し、遅くとも令和2年度までに待機児童解消を目指す
新しい経済政策パッケージ 2017（平成29）年	少子高齢化に立ち向かうため、**人づくり革命**と**生産性革命**を車の両輪とする施策
新子育て安心プラン 2020（令和2）年	2021年度から2024年度末までの4年間で約14万人分の保育の受け皿を用意し、できるだけ早く待機児童の解消を目指し、女性（25～44歳）の就業率上昇に対応
子ども大綱 2023（令和5）年	すべての子ども・若者が人格形成の基礎を築き、自立した個人として健やかに成長し、その状況や環境にかかわらずひとしく権利の擁護が図られ、**ウェルビーイング**な生活を送ることのできる社会（こどもまんなか社会）を目指す
子ども未来戦略 2023（令和5）年	若者・子育て世代の所得増、社会全体の構造や意識の変革、子どもと子育て世代の支援を基本理念として、若い世代が希望どおり結婚し、希望する誰もが**子ども**を持ち、安心して**子育て**できる社会、**子どもたち**が笑顔で暮らせる社会の実現を目指す

わが国では明治維新後、西洋の影響を受け、**国民教育**のための初の教育制度として「**学制**」が制定されます。その後、幼児教育も行われるようになり、1899（明治32）年に「**幼稚園保育及設備規程**」で、幼稚園は満3歳以上の未就学児を保育するところとされました。

● **わが国の保育の歴史・まとめ**

1876（明治9）年	東京女子師範学校附属幼稚園…日本初の官立幼稚園・フレーベルの恩物を取り入れた保育
1890（明治23）年	新潟静修学校附設託児所（**赤沢鍾美**）…日本初の常設託児施設
1891（明治24）年	滝乃川学園（**石井亮一**）…日本初の知的障害児のための社会福祉施設
1900（明治33）年	二葉幼稚園（**野口幽香、森島峰**）…スラムの子どものための施設
1926（大正15）年	「幼稚園令」「幼稚園令施行規則」制定
1947（昭和22）年	「**学校教育法**」制定…幼稚園を学校として位置づけ 「**児童福祉法**」制定…託児所を保育所に名称変更
1948（昭和23）年	「児童福祉施設最低基準」（現：児童福祉施設の設備及び運営に関する基準）制定
1956（昭和31）年	「幼稚園教育要領」制定…6領域
1965（昭和40）年	「保育所保育指針」制定…2〜6領域
1990（平成2）年	「幼稚園教育要領」の改訂を受け、「保育所保育指針」改定…5領域に
1999（平成11）年	「幼稚園教育要領」の改訂を受け、「保育所保育指針」を改定…**地域子育て支援**の役割を明記
2008（平成20）年	「幼稚園教育要領」の3回目の改訂にあわせ、「保育所保育指針」3回目の改定…通知から**告示**に、**法的拘束力**をもつようになった
2017（平成29）年	「幼稚園教育要領」の改訂を受け、「保育所保育指針」を改定…幼児教育の積極的な位置づけ、乳児・1歳以上3歳未満児の保育に関する記載の充実

得点UP の 🔑 「**託児所**」と「**保育所**」

第二次世界大戦以前、働く親の子どもを預かる施設は「**託児所**」とよばれ、教育機能はなかった。第二次世界大戦後、「**児童福祉法**」で「**託児所**」は「**保育所**」に改められ、「**児童福祉施設最低基準**」で、**養護**と教育の機能をもつことが規定された。

Point 4 諸外国の保育の歴史・人物

18世紀半ばから19世紀にかけての産業革命で、**貧しい労働者**が増えたことから、労働者の子どもたちの教育が始まります。また、自然主義思想家の**ルソー**は、大人は子どもを枠にはめず、**子どもらしく育て**ようと主張し、後世に大きな影響を与えました。

● 諸外国の保育の歴史・まとめ

1762年	フランスの思想家**ルソー**、『**エミール**』を発表…人間の自然を尊重し、知識偏重の教育を批判
1779年	牧師**オーベルラン**、フランスで「**幼児保護所**」開設…世界最初の保育施設。農村の労働者の子どもに唱歌、編み物などを教授
1798年	**ペスタロッチ**、スイスで孤児院を創設
1799年頃	フランスの医師**イタール**、南フランスのラコーヌの森で発見された野生児の教育を開始…聾唖児教育や知的障害児教育の研究に影響
1816年	**オーエン**、イギリスの紡績工場に「**性格形成（新）学院**」を創設…主知主義教育を批判し、直観教育を重んじる
1840年	**フレーベル**、ドイツで「**キンダーガルテン（幼稚園）**」を創設…幼稚園の原型に。恩物という遊具の開発
1900年	スウェーデンの女性社会運動家**エレン・ケイ**『**児童の世紀**』を発表…20世紀は児童のための世紀にならなくてはいけないと説き、日本の婦人運動にも影響
20世紀初頭	イタリア初の女性医師、**モンテッソーリ**が「**子どもの家**」の初代教育主任に就任…感覚教具（モンテッソーリ教具）を開発
1938年	アメリカの経験主義（プラグマティズム）の哲学者**デューイ**、『**経験と教育**』を発表…第二次世界大戦後の日本の教育に影響
1950年代	イギリスの精神分析医**ボウルビィ**、「**アタッチメント**」（愛着）の概念を提唱

ゴロ合わせの部屋

フレーベルの「**キンダーガルテン**」はよく出題されるので、「**ふれふれベルは、金（きん）だ、がってん**」で覚えます。また、**オーエ**ンの環境による「**性格形成**」は、「**オーエン応援、性格づくり**」で覚えます。

教育原理

1 教育の意味と目的

Q 130 幼児期の教育は、生涯にわたる人格形成の基礎を培う重要なものである。

Q 131 「日本国憲法」第26条では、「すべて国民は、法律の定めるところにより、その能力に応じて、ひとしく教育を受ける資格を有する」としている。

Q 132 「幼保連携型認定こども園教育・保育要領」では、保育の内容に関する全体的な計画のみを作成することとしている。

Q 133 「教育基本法」は学校教育に関する法律であり、家庭教育や社会教育に関しての記述はない。

Q 134 「学校教育法」第22条において、幼稚園は、幼児の健やかな成長のために適当な環境を与えて、その身体の成長を助長することを目的とするとしている。

Q 135 国や地方公共団体の設置する学校における義務教育については、授業料は徴収されない。

Q 136 「学校教育法」では、児童、生徒及び学生への体罰の禁止について規定していない。

Q 137 「学校教育法」では、幼保連携型認定こども園を学校として第1条に規定している。

「教育基本法」「学習指導要領」「幼稚園教育要領」についてしっかり理解しておきましょう。歴史上の人物とその理論についてもよく出題されます。

A 130 「教育基本法」第11条では、幼児期の教育は、生涯にわたる人格形成の基礎を培う重要なものであるとしている。　○

A 131 「日本国憲法」第26条では、「すべて国民は、法律の定めるところにより、その能力に応じて、ひとしく教育を受ける権利を有する」とされる。　×

A 132 「幼保連携型認定こども園教育・保育要領」では教育及び保育の内容並びに子育て支援等に関する全体的な計画を作成することとしている。　×

A 133 学校教育に関する法律は「学校教育法」である。「教育基本法」には、家庭教育や社会教育について規定されている。　×

A 134 幼児を保育し、幼児の健やかな成長のために適当な環境を与えて、その心身の発達を助長することを目的とするとしている。　×

A 135 「教育基本法」第5条第4項に規定されている義務教育の無償制である。　○

A 136 第11条で、校長及び教員は、懲戒を加えることができるが体罰を加えることはできないとしている。　×

A 137 「教育基本法」第6条に基づく学校とされており、「学校教育法」第1条には規定されていない。　×

Q 138 幼稚園においては、「知識及び技能の基礎」「思考力、判断力、表現力等の基礎」「学びに向かう力、人間性等」を一体的に育むよう努める。 要領

Q 139 「幼稚園教育要領」では、教育課程の編成について「幼稚園教育要領」の内容に従って編成することとしている。 要領

Q 140 幼稚園の毎学年の教育週数については、「学校教育法」の規定に従うこととしている。 要領

Q 141 「幼稚園教育要領」におけるねらい及び内容について、特に必要な場合には、5領域に示すねらいの趣旨に基づいて適切な、具体的な内容を工夫し、それを加えても差し支えないとしている。 要領

Q 142 「教育基本法」では、幼稚園では家庭及び地域における幼児期の教育の支援に努めるものとするとしている。

Q 143 「幼稚園教育要領」では、「（中略）あらゆる他者を価値のある存在として尊重し、多様な人々と協働しながら様々な社会的変化を乗り越え、豊かな人生を切り拓き、多様性を包含した社会の創り手となることができるようにするための基礎を培うことが求められる」としている。 要領

Q 144 「幼稚園は、義務教育及びその後の教育の基礎を培うものとして、幼児を保育」するものであると「教育基本法」に定められている。

Q 145 「学校教育法」第23条では、読書に親しませることで言葉の使い方を正しく導くとしている。

A 138 「幼稚園教育要領」で、生きる力の基礎を育むため、幼稚園教育において育みたい資質・能力として示されている。　○

A 139 「幼稚園教育要領」では、教育課程を「教育基本法」及び「学校教育法」その他の法令並びに「幼稚園教育要領」に従い編成するとしている。　×

A 140 幼稚園の毎学年の教育週数は、特別の事情のある場合を除き、39週を下ってはならない、と「幼稚園教育要領」で規定している。　×

A 141 適切な、具体的な内容を工夫し、加えても差し支えないが、幼稚園教育の基本を逸脱しないように慎重に配慮する必要があるとしている。　○

A 142 幼稚園において家庭及び地域における幼児期の教育の支援に努めるとしているのは「学校教育法」である。　×

A 143 「幼稚園教育要領」では、「(中略) あらゆる他者を価値のある存在として尊重し、多様な人々と協働しながら様々な社会的変化を乗り越え、豊かな人生を切り拓き、持続可能な社会の創り手となることができるようにするための基礎を培うことが求められる」としている。　×

A 144 「幼稚園は、義務教育及びその後の教育の基礎を培うものとして、幼児を保育」と定められれているのは「学校教育法」第22条である。　×

A 145 「学校教育法」第23条では日常の会話や、絵本、童話等に親しむことを通じて、言葉の使い方を正しく導くとしている。　×

2 諸外国の教育史

Q 146 「この教育は、自然か人間か事物によって与えられる」としたのはコメニウスである。 人物

Q 147 「本来善である人間の性格は、環境によって悪くもなる」としたのは、ルソーである。 人物

Q 148 「汎知（pansophia）」を確立して、単線型の統一学校の構想を示したのはロックである。 人物

Q 149 神と自然と人間の貫く神的統一の理念に基づき、「自己活動」と「労作」の原理を中心とした教育の理論を述べ、『母の愛と愛撫の歌』を著したのはコメニウスである。 人物

Q 150 幼児のための教育遊具を考案、製作し「恩物」と名づけたのはルソーである。 人物

Q 151 教育は、基本的に個人の自由を尊重すべきであるという理論に基づいた教育を行ったのは、エレン・ケイである。 人物

Q 152 ヘルバルトは、「明瞭・連合・系統・方法」という四段階教授法を唱えた。 人物

Q 153 「発達状態を評価するときには、成熟した機能だけでなく、成熟しつつある機能を、現下の水準だけでなく、発達の最近接領域を考慮しなければならない」としたのは、デューイである。 人物

A 146
「この教育は、<u>自然</u>か人間か<u>事物</u>によって与えられる」は、<u>ルソー</u>の著書『エミール』の一部である。 ×

A 147
ルソーではなく<u>オーエン</u>である。「幼児期によい環境を与えることで、よい<u>人格形成</u>が促される」とも述べている。 ×

A 148
「<u>汎知</u>」を確立して、単線型の統一学校の構想を示したのは<u>コメニウス</u>である。ロックは白紙説を示した。 ×

A 149
『<u>母の愛と愛撫の歌</u>』を著したのはフレーベルである。コメニウスは、史上初の絵入り教科書として知られる『<u>世界図絵</u>』を著した。 ×

A 150
<u>恩物</u>を考案したのは<u>フレーベル</u>である。 ×

A 151
エレン・ケイは、子どもの<u>尊厳</u>と権利を主張し、その教育論には<u>自然主義的</u>、個人主義的な傾向が含まれている。 ○

A 152
<u>四段階</u>教授法については、『<u>一般教育学</u>』のなかで述べられている。 ○

A 153
「発達の最近接領域」は、<u>ヴィゴツキー</u>の考え方である。子どもの現下の水準だけでなく、手伝ってもらえばできる水準も考慮しなければならないとした。 ×

Q 154 教育の目的を道徳的品性の陶冶とし、教育的概念を提示したのはヘルバルトである。 人物

Q 155 「健全な身体に宿る健全な精神」について述べているのは、ルソーである。 人物

Q 156 「人類がすべて、これを全く新しい見方で認識しはじめ、これを発展の信仰の光のなかに見て、20世紀は児童の世紀になるのである」としたのはペスタロッチである。 人物

Q 157 「玉座の上にあっても、木の葉の屋根の蔭に住まわっても、その本質において同じ人間」と述べたのは、ペスタロッチである。 人物

Q 158 「集中状態に入るための注意は、段階的な刺戟を必要とします。最初は幼な児の興味をひくような、感覚で見分けられるものであればよいのです」と述べたのは、モンテッソーリである。 人物

Q 159 オーエンは、主知主義教育を取り入れて直観教育を排した。 人物

Q 160 「生活が陶冶する」という言葉を残したのはモンテッソーリである。 人物

Q 161 「教育のすべては児童から始まる」という言葉を著書のなかで述べているのは、マカレンコである。 人物

A 154 <u>ヘルバルト</u>は、道徳的品性の陶冶を教育の目的とし、それは管理・<u>教授</u>・訓練の教育作用によって達成されるとした。 ○

A 155 「健全な身体に宿る健全な精神」について述べているのは、<u>ロック</u>である。人間の精神と身体の関係の<u>重要性</u>を明らかにしたものといえる。 ×

A 156 「20世紀は児童の世紀」としたのは、<u>エレン・ケイ</u>である。この言葉は、大人が子どもの心を理解すること、子どもの心の単純性が大人によって維持されること、という二重の意味をもつとしている。 ×

A 157 設問の記述は、ペスタロッチの著書『<u>隠者の夕暮れ</u>』のなかの言葉である。すべての人間は本来<u>平等</u>に生まれついている、という意味である。 ○

A 158 <u>モンテッソーリ</u>は、大きさの異なる円柱や異なる音色のベル、ざらざらとした板などを<u>教具</u>として幼児教育に取り入れて<u>感覚</u>を育てた。 ○

A 159 オーエンは、持論である<u>性格形成論</u>にペスタロッチの教育法を取り入れ、主知主義教育を排して、<u>直観教育</u>を重んじた。 ×

A 160 「生活が<u>陶冶する</u>」は、<u>ペスタロッチ</u>が残した言葉で、生活そのものが人格を形成していくという意味がある。 ×

A 161 「教育のすべては児童から始まる」という言葉は、デューイの著書『<u>民主主義と教育</u>』のなかで述べられている。 ×

3 わが国の教育史

Q 162 京都の堀川に古義堂を開いたのは、伊藤仁斎である。
人物

Q 163 わが国最初の体系的教育書といわれる『和俗童子訓』の著者で、発達段階に即した随年教法を提起した儒学者は、中江藤樹である。人物

Q 164 広瀬淡窓は、本人の入塾後の学問への努力に基づく達成度、実力を重視した。人物

Q 165 わが国で初めて制定された教育法規は、「学制」である。

Q 166 階級や僧俗を問わず、一般庶民の子弟にも門戸を開いた綜芸種智院を創設したのは、聖徳太子である。人物

Q 167 子どもの発達過程に即した教育のあり方を説き、子どもの心身の成長を松の生長にたとえたのは、荻生徂徠である。人物

Q 168 代表的な寺子屋として、伊勢の鈴屋や大坂（大阪）の適塾がある。

Q 169 日本のロックと称されたのは、荻生徂徠である。

A 162 伊藤仁斎は、教育の目的は道の実践にありとして、実行と個性尊重の教育を行った。 ○

A 163 『和俗童子訓』の著者で、発達に即した教授法と教材を示した随年教法を唱えたのは、貝原益軒である。中江藤樹は、本当の知識は行いを伴わなくてはならないという意味の知行合一を唱えた。 ×

A 164 広瀬淡窓は豊後国日田に咸宜園という私塾を開き、本人の達成度や実力、一人一人の持ち味を尊重した。 ○

A 165 統一的な国民教育を推進するため、1872（明治5）年に「学制」が制定・公布された。 ○

A 166 綜芸種智院を創設したのは、真言宗の開祖の空海である。 ×

A 167 子どもの発達過程に即した教育のあり方を説き、子どもの心身の成長を松の生長にたとえたのは、大原幽学である。 ×

A 168 鈴屋は本居宣長、適塾は緒方洪庵が開いた私塾である。 ×

A 169 日本のロックと称されたのは、ロックとほぼ同じ時代に医学を修め、自分自身の健康に恵まれなかったという共通点がある貝原益軒である。 ×

Q 170 『風姿花伝』は、能役者の世阿弥が著した書物である。

Q 171 1899（明治32）年に制定された「幼稚園保育及設備規程」では、幼稚園を満3歳から小学校に就学するまでの幼児を保育する所、と定義している。

Q 172 1926（大正15）年に制定・公布された「幼稚園令」では、幼稚園を家庭教育を補う施設とし、保育項目が5項目とされた。

Q 173 福沢諭吉は、『学問のすすめ』を著し、義務教育の必要性を唱えた。 人物

Q 174 著書で、「幼稚園の真諦は、何を保育の目的とするか、いかに能力に相当させるかということを考えるだけでなくして、いかなる生活形態に幼児を生活させるのが、幼稚園の真の姿、実態であろうかということでなければならぬのであります」と述べたのは城戸幡太郎である。 人物

Q 175 1948（昭和23）年に刊行された「保育要領」は、保育所のみを対象とした保育内容の基準となるものである。

Q 176 1956（昭和31）年に出された「幼稚園教育要領」では、小学校と幼稚園の一貫性が示された。 要領

Q 177 『全人教育論』を著したのは、玉川学園の創始者である石田梅岩である。 人物

A 170 世阿弥は発達段階に沿った稽古の進め方や、血のつながりにこだわらず真の実力者に芸を伝授する必要性などを『風姿花伝』に著した。 ○

A 171 1899（明治32）年に制定された「幼稚園保育及設備規程」では、幼稚園に入園する児童の年齢は、現在と同じである。 ○

A 172 1926（大正15）年に制定・公布された「幼稚園令」では、遊戯・唱歌・観察・談話・手技等の5項目が保育項目とされた。 ○

A 173 福沢諭吉の『学問のすすめ』は、明治政府の教育理念である「被仰出書」に多大な影響を与えたといわれている。 ○

A 174 倉橋惣三が『幼稚園真諦』の中で述べている。「幼稚園の真諦」「いかなる生活形態に幼児を生活させる〜」という言葉から判断できる。 ✕

A 175 1948（昭和23）年刊行の「保育要領」は、幼稚園と保育所のための保育内容の基準となるものである。 ✕

A 176 1956（昭和31）年に出された「幼稚園教育要領」では、指導上の留意点の明確化、小学校と幼稚園の一貫性、幼稚園教育目標の具体化が示されるとともに、保育内容が6領域とされた。 ○

A 177 『全人教育論』を著した玉川学園の創始者は、小原國芳である。石田梅岩は、江戸時代中期に石門心学を創始し、『都鄙問答』を著した。 ✕

4 教育内容と制度

Q 178 現行の「学習指導要領」には、能力の4つの柱が示されている。

Q 179 教育課程を実施・評価し改善していくことをカリキュラム・マネジメントという。

Q 180 「学習指導要領」には、教育内容や学習事項の学年別配当、授業時間等が具体的に示されている。

Q 181 学校は、設定する学校の教育目標を実現するため、学習指導要領等に基づいて教育課程を編成する。

Q 182 幼稚園では、教師が幼児一人一人の活動の場面に応じて、様々な役割を果たし、その活動を豊かにする。

要領

Q 183 2008（平成20）年告示の「学習指導要領」では、言語力の育成があらゆる学習の基礎として位置づけられた。

Q 184 特別支援学校には独自の「学習指導要領」はない。

Q 185 「小学校学習指導要領」では、「小学校入学当初においては、幼児期において自発的な活動としての自然体験を通して育まれてきたことが、各教科等における学習に円滑に接続されるよう、遊びを中心に、合科的・関連的な指導や弾力的な時間割の設定など、指導の工夫や指導計画の作成を行うこと」としている。

A 178 「学びに向かう力」「知識・技能」「思考力・判断力・表現力等」の3つの柱が示されている。 ×

A 179 カリキュラム・マネジメントは、学校の教育目標の実現に向けて、子どもや地域の実態を踏まえてカリキュラムを編成し、実施・評価・改善していく一連の流れをいう。 ○

A 180 「学習指導要領」は「学校教育法施行規則」に基づき告示され、子どもの発達にあわせてどの教科をどのように指導するかが示されている。 ○

A 181 学校では、子どもや地域の実情等を踏まえて、学校が設定する教育目標を実現するために学習指導要領等に基づいて教育課程を編成する。 ○

A 182 「幼稚園教育要領」の「幼稚園教育の基本」で述べられている。 ○

A 183 言語力の育成があらゆる学習の基礎として位置づけられ、各教科で論述を重視することとされた。 ○

A 184 特別支援学校には、「特別支援学校学習指導要領等」がある。 ×

A 185 「小学校入学当初においては、幼児期において自発的な活動としての遊びを通して育まれてきたことが、各教科等における学習に円滑に接続されるよう、生活科を中心に、合科的・関連的な指導や弾力的な時間割の設定など、指導の工夫や指導計画の作成を行うこと」としている。 ×

5 教育実践と評価

Q 186 児童生徒の学習記録や作品、感想などを時間の経過に沿ってファイルなどに整理保管して評価に利用する方法を開発学習という。

Q 187 学ぶ内容を分野ごとに分けて系統的に教えるようにしたカリキュラムで、大人が子どもに身につけさせたいと考えている事柄をバランスよく配置できるのは教科カリキュラムである。

Q 188 絶対評価とは、学習成果の評価にあたって、教育の目標に対してどこまで達成しているかを明らかにする評価である。

Q 189 小・中学校では、絶対評価を取り入れた評価の試みが進められている。

Q 190 絶対評価は、集団内における個人の位置を明示する評価方法である。

Q 191 診断的評価とは、指導後に子どもの実態を把握する評価方法である。

Q 192 形成的評価は、学習過程における学習の達成状況を評価する方法である。

Q 193 意図的に組み込まれた一般的なカリキュラムを顕在的カリキュラムという。

A 186 開発学習ではなく、<u>ポートフォリオ</u>評価である。整理保管を児童が行うことで、評価に児童生徒が参加することになる。　✕

A 187 <u>教科カリキュラム</u>は、系統的に教えることが可能で、子どもはすでに教えられた事項を把握しながら<u>効率的に</u>様々な事柄を学ぶことができるが、子どもの興味や関心との間にずれが生じやすい。　○

A 188 <u>児童生徒</u>が、設定した<u>目標</u>に達している度合いを評価する方法である。　○

A 189 個に応じた指導の充実を図るため、<u>絶対</u>評価を取り入れ、児童生徒<u>各個人</u>の目標達成度をきめ細かに評価する試みが進められている。　○

A 190 <u>集団内</u>における個人の位置を明示するのは、<u>相対</u>評価である。5段階評価などが該当する。　✕

A 191 <u>診断的</u>評価は、<u>指導前</u>に子どもの実態を把握し、それに見合った指導計画を立てる目的で行われる評価である。　✕

A 192 学習活動において、発言や挙手などで生徒の理解度を<u>即時的に</u>評価することも<u>形成的</u>評価ということができる。　○

A 193 <u>顕在的</u>カリキュラムに対して、意図的ではなく自然に子どもに影響を与えるのが<u>潜在的</u>カリキュラムである。　○

6 20世紀の教育方法

Q 194 キルパトリックは、自主的な問題解決に取り組ませるプロジェクト・メソッドを確立した。 人物

Q 195 就学前教育においてマオリの言語・文化を教える機関が設置され、テ・ファリキにより幼児教育が展開されているのはオーストラリアである。

Q 196 ブルーナーは正統的周辺参加を提唱した。正統的周辺参加とは学習を分析的にみる一つの見方であり、学習というものを理解する一つの方法である。 人物

Q 197 完全習得学習は、オコンが考案した教育方法である。 人物

Q 198 オーズベルは、あらかじめ関連する情報を学習者に伝えることで、学習がスムーズに行えるという概念を提示した。 人物

Q 199 スモールステップの原理を考案したのはオコンである。 人物

Q 200 スキナーは、教育の効果を測定するためのテスティングマシーンを考案した。 人物

Q 201 問題解決学習とは、子どもがみずからの生活のなかで問題を発見し、分析して仮説を立て、検証するという考え方に基づく学習方法である。

A 194 プロジェクト・メソッドは、デューイの教育理念をキルパトリックが教育方法として確立したものである。 〇

A 195 就学前教育においてマオリの言語・文化を教える機関が設置され、テ・ファリキにより幼児教育が展開されているのはニュージーランドである。 ×

A 196 正統的周辺参加を提唱したのは、レイヴとウェンガーである。ブルーナーは『教育の過程』のなかで、発見学習という仮説を提唱した。 ×

A 197 完全習得学習は、一斉指導と個別指導を組み合わせることで、子どもを一定の水準に到達させる方法で、ブルームが提唱した。 ×

A 198 オーズベルは有意味受容学習の見直しとして、先行オーガナイザーという概念を提唱した。 〇

A 199 スモールステップの原理を考案したのは、スキナーである。スモールステップとは学習過程を細分化したものである。 ×

A 200 スキナーが考案したのは、テスティングマシーンを改良したティーチングマシーンである。それとともに、プログラム学習の理論も打ち立てた。 ×

A 201 問題解決学習は、デューイが提唱する内省的思考（反省的思考）に支えられた学習方法である。 〇

教育原理

67

Q 202 教師が生徒に対して体罰を行うことは、禁じられている。

Q 203 一人一台端末及び高速大容量の通信ネットワークを一体的に整備するのは、デジタルスクール構想である。

Q 204 「持続可能な開発目標（SDGs）と日本の取組」では、すべての人に包摂的かつ公正な質の高い教育を確保し、高等教育レベルの学力を獲得するとしている。

Q 205 「教育機会確保法」では、不登校児童生徒について定義している。

Q 206 「いじめの問題への取組の徹底について」（平成18年：文部科学省通知）では、いじめは、学校全体で組織的に対応するとしている。

Q 207 インターネットを通じて行われるものは、いじめに含まれない。

Q 208 いじめの早期発見・早期対応のためには、学校のみで解決することに固執しないことも必要である。

Q 209 特別支援教育は、知的な遅れのない発達障害も含めて、特別な支援を必要とする幼児児童生徒が在籍するすべての学校で実施される。

Q 210 特別支援教育は、障害の有無やその他の個々の違いを認識しつつ様々な人々が生き生きと活躍できる共生社会の形成の基礎となる。

A 202 いかなる場合にも、教師が生徒に対して体罰を行うことはできない。 ○

A 203 一人一台端末及び高速大容量の通信ネットワークを一体的に整備するのは、GIGAスクール構想である。 ×

A 204 目標4「質の高い教育をみんなに」では、「すべての人に包摂的かつ公正な質の高い教育を確保し、生涯学習の機会を促進する」としている。 ×

A 205 不登校児童生徒を、「相当の期間学校を欠席する児童生徒であって、学校における集団の生活に関する心理的な負担その他の（中略）状況にあると認められるもの」としている。 ○

A 206 特定の教員が抱え込むことなく、学校全体で組織的に対応することが重要であるとしている。 ○

A 207 「いじめ防止対策推進法」では、「インターネットを通じて行われるものも含む」としている。 ×

A 208 「いじめの問題への取組の徹底について」の早期発見・早期対応のなかで示されている。 ○

A 209 文部科学省通知「特別支援教育の推進について」で述べられている。知的な遅れのない発達障害が含まれていることが重要である。 ○

A 210 共生社会の基礎となることは、わが国の現在および将来の社会にとって重要な意味をもっている。 ○

Point 5 教育に関する法律1

「教育基本法」は「日本国憲法」第26条の理念を実現するために、制定されたものです。

●「日本国憲法」の理念

日本国憲法の基本理念
教育を受ける権利、教育を受けさせる義務、義務教育の無償

日本国憲法　第26条

すべて国民は、法律の定めるところにより、その能力に応じて、ひとしく教育を受ける権利を有する。

2　すべて国民は、法律の定めるところにより、その保護する子女に普通教育を受けさせる義務を負ふ。義務教育は、これを無償とする。

●「教育基本法」の主な内容

教育基本法

第1章
教育の目的及び理念

第1条	教育の目的
第2条	教育の目標
第3条	生涯学習の理念
第4条	教育の機会均等

教育はどのようなものであるべきかについて定めています

第2章
教育の実施に関する基本

第5条	義務教育
第6条	学校教育
第7条	大学
第8条	私立学校
第9条	教員
第10条	家庭教育
第11条	幼児期の教育
第12条	社会教育
第13条	学校、家庭及び地域住民等の相互の連携協力
第14条	政治教育
第15条	宗教教育

教育行政のあり方について定めています

第3章
教育行政

第4章
法令の制定

「教育基本法」の内容を実施するために、必要な法令が制定されなければならないとしています

さまざまな教育をどのように実施するかについて定めています

学校教育法

Point 6 教育に関する法律2

●「教育基本法」（2006年）の重要条文

（前文一部）
我々は、この理想を実現するため、個人の尊厳を重んじ、真理と正義を希求し、公共の精神を尊び、豊かな人間性と創造性を備えた人間の育成を期するとともに、伝統を継承し、新しい文化の創造を目指す教育を推進する。

第1条（教育の目的）
教育は、人格の完成を目指し、平和で民主的な国家及び社会の形成者として必要な資質を備えた心身ともに健康な国民の育成を期して行わなければならない。

第10条（家庭教育）
父母その他の保護者は、子の教育について第一義的責任を有するものであって、生活のために必要な習慣を身に付けさせるとともに、自立心を育成し、心身の調和のとれた発達を図るよう努めるものとする。

第11条（幼児期の教育）
幼児期の教育は、生涯にわたる人格形成の基礎を培う重要なものであることにかんがみ、国及び地方公共団体は、幼児の健やかな成長に資する良好な環境の整備その他適当な方法によって、その振興に努めなければならない。

●「学校教育法」の重要条文

第22条
幼稚園は、義務教育及びその後の教育の基礎を培うものとして、幼児を保育し、幼児の健やかな成長のために適当な環境を与えて、その心身の発達を助長することを目的とする。

◎「幼稚園教育要領」とは

　2017年に改訂された「幼稚園教育要領」は、2018年から、順次実施されます。第1章「総則」第2で、幼稚園教育において育みたい資質・能力及び「幼児期の終わりまでに育ってほしい姿」として、3つの資質・能力、10の幼稚園修了時の具体的な姿が示されています。

得点UPの 「幼稚園教育要領」と「預かり保育」

「幼稚園教育要領」総則で、子育て支援のための、「教育課程に係る教育時間終了後等に行う教育活動など」（預かり保育）は、地域の実態や保護者の要請を踏まえ、幼児を対象に、教育活動の一貫として行われる。

Point 7 教育の評価

　教育において「評価」とは、子どもたちに優劣をつける行為ではなく、教師が自分の指導は適切だったか、子どもたちが学習の成果を出しているかなどを評価し、その後の授業の改善に活用されます。近年の学校教育では、教育目標の到達度を評価する絶対評価を中心に、さまざまな評価が実施されています。

● 代表的な評価の方法

相対評価	子どもの成績を、集団内（クラス、学年など）での位置づけや順位で表す。たとえば、5段階評価では、5はクラス全体の何％というようにあらかじめ割合を決めておき、成績が上位の者から配分していく
絶対評価	相対評価に対するもので、子どもが教育目標にどの程度到達できたかを評価する。新しい「学習指導要領」では、「何ができるようになるか」として「知識・技能」、「思考・判断・表現」、「主体的に学習に取り組む態度」を3つの柱とし、明確化している。5段階評価でも、全員が目標に十分に到達していれば、全員が5と評価される。現在は、到達度評価あるいは目標準拠評価とよばれる
診断的評価	指導計画を立てるために、子どもたちの実態を把握するために行われる。年度頭に行われる評価など
形成的評価	指導計画に沿って指導を行っていく過程で行われる。指導内容を子どもたちがどの程度理解しているかを評価する。授業の区切りで行われる小テストなど
総括的評価	1つの学習が終了した際に行われ、目標に対してどの程度習得したかをみる。学習の成果を総合的に判断することができる。期末定期テストなど
ポートフォリオ評価	点数で評価できない内容について用いられる。学習の過程で生じるレポートや作品などを子ども自身が集め、それをもとにして教師、子どもで評価する。保護者が評価に加わることもある

得点UPの　評価の種類による使い分け

個に応じた指導の充実を図るために、近年の小中学校の通知表は絶対評価が取り入れられている。一方、入学試験など、一定の人数の子どもを選抜することを目的とした評価では、相対評価が行われる。

● デューイの問題解決学習

知識は「子どもがみずから生活のなかで問題を発見し、分析して**仮説**を立てて検証する」ことによって獲得される

キルパトリックの**プロジェクト・メソッド**

学習者自身が生活のなかで課題を見つけ、自主的に解決する

プロジェクト・メソッドの流れ

① 目的の設定 → ② 実現のための計画立案 → ③ 計画に従い修正しつつ実行 → ④ 結果の評価

教育原理

● オコンの教授過程論

教授活動をテープに記録し、科学的に分析して科学的道筋に従って知識を教授する方法を研究

● スキナーのプログラム学習の理論

ティーチング・マシーンとよばれる問題提示装置を開発するとともに、プログラム学習の理論を提唱した。彼によれば、学習者は、機器を相手に自分のペースで学習を進めることができるとしている

● ブルーナーの発見学習

学問や文化の基本的構造に関する内容を結果として学ぶだけでなく、学習者みずからが、その発見の過程に参加することによって、発見的に学ぶことを意図した学習方法

● オーズベルの有意味受容学習

あらかじめ関連する情報を学習者に与えておくと、学習者は学習がよりスムーズに行えるという概念（先行オーガナイザー）を提示した

得点UPの 💗 オコンの科学的道筋

①秩序を立てる　②新たな教材を知らせる　③現実の一般的性質を知らせる　④教材を定着させる　⑤能力および習熟を発達させる　⑥理論と実践を結合させる　⑦結果を点検評価する

73

社会的養護

1 児童養護の役割

Q 211 2017（平成29）年に出された「新しい社会的養育ビジョン」では、代替養育は施設での養育を原則とするとしている。

Q 212 「新しい社会的養育ビジョン」では、社会的養育の対象を、代替養育を受けている子どもの胎児期から自立までとしている。

Q 213 「社会的養育の推進に向けて」では、養子縁組を養育環境の種類のうち「家庭」に分類している。

Q 214 石井十次の委託主義とは、収容した幼児や虚弱児の養育を農家等に委託するという考え方である。 人物

Q 215 1891（明治24）年に発生した濃尾地震の被災孤児のため、孤女学院を設立したのは石井亮一である。 人物

Q 216 ライフストーリーワークは、子ども自身が自己の生い立ちを正しく理解するための支援である。

Q 217 肢体不自由児を「身体に欠陥があるのではなく、身体が不自由なだけである」としたのは、柏倉松蔵である。 人物

Q 218 留岡幸助が設立した家庭学校では、非行少年の教護を実施した。 人物

施設養護の基本原理、児童養護の体系についての理解が大切です。特に児童福祉施設の種類、目的、職員についてはしっかり確認しておきましょう。

A 211 代替養育は<u>家庭での養育</u>が原則となり、家庭復帰の可能性がない場合は養子縁組を提供するという<u>永続的解決</u>（パーマネンシー保障）が求められることになったとしている。 ×

A 212 社会的養育の対象は、<u>家庭で暮らす子ども</u>から<u>代替養育</u>を受けている子ども、その胎児期から自立までとされている。 ×

A 213 特別養子縁組を含めた養子縁組を<u>家庭と同様の養育環境</u>に分類している。 ×

A 214 <u>石井十次</u>が施設養護の原則とした「<u>岡山孤児院十二則</u>」の一つである。 ○

A 215 <u>孤女学院</u>に知的障害児がいたことがきっかけで知的障害児を対象とした<u>滝乃川学園</u>に転換した。 ○

A 216 社会的養護における<u>ライフストーリーワーク</u>は、子どもの生い立ちの記録、それを整理することで、子どもが前向きに生きていけるようにするための支援の一つである。 ○

A 217 肢体不自由児を「身体に欠陥があるのではなく、身体が不自由なだけである」としたのは、<u>高木憲次</u>である。 ×

A 218 <u>留岡幸助</u>が1899年に設立した<u>巣鴨家庭学校</u>は、現在の児童自立支援施設に該当する。 ○

75

Q 219 社会的養護は、「子どもの最善の利益」という考え方のもとに実施される。

Q 220 「児童養護施設等における親子関係再構築支援」では、親子関係再構築等の家庭環境の調整は、措置の決定・解除を行う市区町村及び施設の役割としている。

Q 221 養子となる者が審判の申立ての時に18歳に達している場合には、特別養子縁組の成立のためにこども本人の同意がなければならない。

Q 222 2010（平成22）年に制定された「全国児童養護施設協議会倫理綱領」では、子どもの利益を優先した養育が示されている。

Q 223 施設に設置された意見箱に、入所している子どもが投書することはできない。

Q 224 「社会的養護関係施設における親子関係再構築支援ガイドライン」では、親子関係再構築を子どもの回復を支えるという視点で捉え、支援は家族の状況によって分離となった家族に対するものと、代替養育による新たな親子に対するものとがあるとしている。

Q 225 自立支援計画を策定する場合には、子ども・家族・地域社会の側面に着目する。

Q 226 子どもは成長過程にあるため、自分で正しい判断を行うことが難しい場合には、保育士の考え方に沿って誘導することが必要である。

A 219 社会的養護は、「子どもの最善の利益」という 考え方のもとに、子どもが心身ともに健康に育 つ基本的な権利を保障するものである。 ○

A 220 「児童養護施設等における親子関係再構築支援」 では、親子関係の再構築等の家庭環境の調整 は、措置の決定・解除を行う児童相談所の役割 であるとしている。 ✕

A 221 養子となる者が審判の申立ての時に15歳に達 している場合には、特別養子縁組の成立のため にこども本人の同意がなければならない。 ✕

A 222 子どもの意思を尊重しつつ、子どもの成長と発 達を育み、自己実現と自立のために継続的な援 助を保障する養育を行い、子どもの最善の利益 の実現をめざすことを使命としてあげている。 ○

A 223 子どもの意見を聞くために施設に意見箱を設置 したり、苦情解決のしくみが活用されている。 ✕

A 224 「社会的養護関係施設における親子関係再構築 支援ガイドライン」では、親子関係再構築につ いて、子どもの回復を支える視点で捉え、支援 は家族の状況によって分離となった家族に対す るものと、ともに暮らす親子に対するものがあ るとしている。 ✕

A 225 各側面に着目して実態把握と評価を行い、その 関係性に配慮する。 ○

A 226 どのような場合でも、自己決定を行う主体は子 どもである。保育士は、正しい判断ができるよ うに支援し、子どもが自分で判断できる力をつ けていけるような支援をしていく。 ✕

2 施設養護

Q 227 施設における生活日課は、集団生活であるため固定された不変的なものでなければならない。

Q 228 「児童養護施設運営指針」では、社会的養護についてその始まりからアフターケアまでの継続した支援と、できる限り特定の養育者による一貫性のある養育が望まれるとしている。

Q 229 職員は、過干渉にならずに子どもの力を信じて見守る姿勢を示すことが必要である。

Q 230 子どもの意向を把握する具体的な仕組みとして、子どもの意向調査、個別の聴取等を行うことが必要である。

Q 231 乳児院には、医療的ケアを担当する職員が配置されている。

Q 232 乳児院への入院時の養護問題の発生理由としては、養育拒否が最も多い。 統計

Q 233 「乳児院運営指針」では、個々の乳幼児の発達状況や個性に配慮し、専門的視点から遊びの計画や玩具を用意するとしている。

Q 234 乳児院に預けられた子どもの退院先は、ほとんどが里親への委託である。

A 227 施設における生活日課は、子どものQOL（生活の質）を考えた生活リズムで、変更可能な融通性のあるプログラムにすることが大切である。 ×

A 228 子どもが施設を退所した後の支援を含めて、特定の養育者が関わることで一貫した養育を行うことができる。 ○

A 229 「児童養護施設運営指針」に、過干渉にならず、子どもの力を信じて見守る姿勢を大切にすることが示されている。 ○

A 230 自分の意向を正しく表現して伝えられない子どもについては、日常的な会話のなかで発せられる子どもの意向をくみ取り、養育・支援の内容の改善に向けた取り組みを行う。 ○

A 231 医療的ケアを担当する職員は、医療的ケアを必要とする児童が15人以上入所している児童養護施設に配置することができる。 ×

A 232 「児童養護施設入所児童等調査結果」（令和5年2月1日現在）によると母の精神疾患等によるものが最も多い。 ×

A 233 専門的視点から遊びの計画や玩具を用意し、遊びを通じた好奇心の育みや身体機能の発達を支援するとしている。 ○

A 234 児童養護施設、里親、家庭引取りなどの退院先があるが、里親に委託されるケースは多くない。 ×

Q 235 「児童養護施設入所児童等調査（令和5年2月1日現在）」によると、乳児院に預けられた子どもの被虐待経験は6割を超えており、虐待の種類では身体的虐待が5割を占めている。 統計

Q 236 母子生活支援施設への入所理由の第1位は、生活困窮である。 統計

Q 237 母子生活支援施設における援助では、生活の悩みを解決するだけでなく、職業選択やあっせんなどを行うことも必要である。

Q 238 母子生活支援施設では、親子関係の再構築が行われる。 基準

Q 239 児童養護施設には、被虐待児の入所も認められており、「児童養護施設入所児童等調査（令和5年2月1日現在）」によると増加傾向にある。 統計

Q 240 「児童養護施設運営ハンドブック」では、児童養護施設に入所し、問題なく過ごしていた18歳の児童が退所間近に万引きをした場合、すぐに児童自立支援施設への措置変更を検討するとしている。

Q 241 「児童養護施設運営指針」では、「子ども期のすべては、その年齢に応じた発達の課題を持ち、その後の成人期の人生に向けた準備の期間でもある」としている。

Q 242 「児童養護施設運営指針」では、子どもが孤独を感じることがないよう、できるだけ中学生以上においても2人以上の相部屋とするとしている。

A 235 2023（令和5）年の調査では、乳児院に預けられている子どものうち被虐待経験のある子どもは 50.5％、虐待の種類ではネグレクトが67.4％を占めている。 ×

A 236 「児童養護施設入所児童等調査」では、母子生活支援施設への入所理由の第1位は、配偶者からの暴力で、約半数を占めている。 ×

A 237 母子生活支援施設では、職業選択やあっせんなどを通じて、社会生活に適応させることに支援の重点をおくことが大切である。 ○

A 238 親子関係の再構築のほか、就労、家庭生活、児童の養育に関する相談、助言、指導、関係機関との連絡調整などの支援が行われる。 ○

A 239 前回調査と比較して虐待が増加しているため、児童養護施設への被虐待児の入所も増加している。6.1％増の71.7％が「虐待経験あり」と回答している。 ○

A 240 措置変更は施設での対応が困難と判断されたときに検討されるとしている。すぐに児童自立支援施設への措置変更を検討することは適切ではない。 ×

A 241 「児童養護施設運営指針」では、さらに「社会的養護は、未来の人生を作り出す基礎となるよう、子ども期の健全な心身の発達の保障を目指して行われる」としている。 ○

A 242 中学生以上は個室が望ましいが、相部屋であっても個人の空間を確保するとしている。 ×

社会的養護

81

Q 243 「児童養護施設運営指針」では、子ども自身の出生や生い立ち、家族の状況については、義務教育終了後に開示するとしている。

Q 244 「児童養護施設運営指針」では、成長の記録（アルバム）が整理され、成長の過程を振り返ることができるようにするとしている。

Q 245 児童自立支援施設に配置される家庭支援専門相談員は、児童自立支援施設において児童の指導に5年以上従事した者もなることができる。 基準

Q 246 児童自立支援施設に固有の職員として、児童自立支援専門員と児童生活支援員がある。 基準

Q 247 児童自立支援施設には、必ず職業指導員が配置される。 基準

Q 248 児童自立支援施設の長は、自立支援計画を策定しなければならない。 基準

Q 249 児童心理治療施設には、心理療法を必要とする児童10人以上に心理療法を行う場合に、心理療法担当職員が配置される。 基準

Q 250 児童心理治療施設において、退所後の相談その他の援助は行われていない。 児福

A 243 「児童養護施設運営指針」では、<u>子どもの発達</u>に応じて、子ども自身の出生や生い立ち、家族の状況について、子どもに<u>適切に知らせる</u>としている。 ✕

A 244 子ども一人一人の成長の記録を整理し、自由に見ることができるように<u>個人が保管</u>し、必要に応じて<u>職員と共</u>に振り返るとしている。 ○

A 245 「児童福祉施設の設備及び運営に関する基準」第80条において、「家庭支援専門相談員は、<u>社会福祉士</u>若しくは<u>精神保健福祉士</u>、児童自立支援施設において児童の指導に<u>5年以上</u>従事した者」と規定されている。 ○

A 246 児童自立支援専門員は児童の<u>自立支援</u>を行う職員、児童生活支援員は児童の<u>生活支援</u>を行う職員である。 ○

A 247 <u>実習設備</u>を設けて職業指導を実施する児童自立支援施設では、<u>職業指導員</u>を配置しなければならない。 ✕

A 248 児童自立支援施設の長は、入所中の<u>個々</u>の児童について、児童やその<u>家庭の状況</u>等を勘案して、その自立を支援するための計画を策定しなければならないと規定されている。 ○

A 249 心理療法を必要とする児童の有無にかかわらず、<u>おおむね児童10人以上</u>につき1人以上の<u>心理療法担当職員</u>を配置しなければならない。 ✕

A 250 児童心理治療施設の目的には、退所した者に対する<u>相談その他の援助</u>が明記されている。 ✕

Q 251 児童心理治療施設での治療は、経験主義的アセスメントに基づき、個別のニーズに沿って、説明と同意のもとに行われる。

Q 252 福祉型障害児入所施設（知的障害児）には、精神科または小児科の嘱託医が配置されている。 基準

Q 253 福祉型障害児入所施設（盲ろうあ児）には、眼科および耳鼻咽喉科の医師を配置しなければならない。
基準

Q 254 福祉型障害児入所施設（肢体不自由児）には、看護職員は配置されていない。 基準

Q 255 医療型障害児入所施設（重症心身障害児）の場合、生命を維持し、健康を保って日常生活を送ることが援助目標の中心である。

Q 256 医療型障害児入所施設（重症心身障害児）の場合、全面介助が生活の基本のため、リハビリテーションなどの訓練を実施することは想定されていない。

Q 257 児童厚生施設とは、児童の健康を増進し、情操を豊かにすることを目的とした施設である。 児福

Q 258 児童の遊びを指導する者が、児童厚生施設の職員として配置される。 基準

A 251 運営指針では、<u>医学的</u>、<u>心理学的</u>、<u>社会学的</u>アセスメントに基づき、個別のニーズに沿って、説明と同意のもとに行われるとしている。 ☒

A 252 福祉型障害児入所施設（知的障害児）では、<u>精神科</u>または小児科の診療に相当の経験を有する<u>嘱託医</u>を配置しなければならないと規定されている。 ◯

A 253 福祉型障害児入所施設のうち<u>医師</u>の配置が規定されているのは主に<u>自閉症児</u>を入所させる場合である。 ☒

A 254 福祉型障害児入所施設（肢体不自由児）には、<u>1人以上</u>の看護職員を配置しなければならないと規定されている。 ☒

A 255 重症心身障害児の場合、<u>ほとんど</u>すべての日常生活動作を独力で行うことができず、<u>全面介助</u>が必要となる。 ◯

A 256 日常生活において<u>全面介助</u>が必要であっても、職員として理学療法士、作業療法士などが配置されているということは、<u>リハビリテーション</u>などの訓練の実施が想定されているといえる。 ☒

A 257 児童厚生施設は、児童遊園や児童館等で<u>健全な遊び</u>を与え、健康増進や<u>情操</u>を豊かにすることを目的とする。 ◯

A 258 児童の遊びを指導する者は、<u>保育士</u>や教員資格を有する者などで、児童厚生施設の<u>設置者</u>が適当と認定した者である。 ◯

3 家庭と同様の環境における養育

Q 259　里親制度は、養育里親、専門里親、養子縁組里親、親族里親、短期里親の5つの類型の特色を生かしながら養育を行う。

Q 260　里親制度は、社会的養護を必要とする子どもを、養育者の家庭に迎え入れて「家庭と同様の養育環境」で養育する。

Q 261　離婚によって両親が別離し、家庭での養育に欠ける児童は、里親制度の対象とならない。

Q 262　特別養子縁組をした子どもと実父母との親族関係は、どのような場合にも継続する。

Q 263　特別養子縁組は、その子どもの利益のため特に必要があると認めるときに成立させるものである。

Q 264　養育里親は、25歳以上の成人であれば特に要件はない。

Q 265　専門里親は、委託児童の養育に専念できることが要件となっている。

Q 266　親族里親の場合、都道府県知事の認定は必要ない。

A 259 里親制度は、養育里親、専門里親、養子縁組里親、親族里親の<u>4つの類型</u>の特色を生かしながら養育を行う。 ×

A 260 「社会的養育の推進に向けて」では、里親制度は<u>家庭と同様の養育環境</u>とされている。 ○

A 261 里親制度の対象となる児童は、両親の<u>養育拒否</u>、<u>行方不明</u>、保護者のない児童または保護者に監護させることが不適当であると認められる者である。 ×

A 262 <u>特別養子縁組</u>をした子どもと実父母との親族関係は廃止され、戸籍上、<u>養親の実子</u>として記載される。 ×

A 263 「民法」第817条の7において、「特別養子縁組は、父母による養子となる者の監護が著しく困難又は不適当であることその他<u>特別の事情</u>がある場合において、<u>子の利益</u>のため特に必要があると認めるときに、これを成立させるものとする」と規定されている。 ○

A 264 年齢の<u>制限</u>はないが、<u>一定</u>の要件を満たしていなければならない。 ×

A 265 「里親制度運営要綱」のなかで、<u>養育里親</u>として<u>3年</u>以上の養育経験があることなどとともに規定されている。 ○

A 266 親族里親でも児童の委託者として適当であるとする<u>都道府県知事</u>の<u>認定</u>が必要である。 ×

Q 267 施設入所が長期化している乳児院入所児童の措置変更を行う場合は、原則として、里親委託を検討する。

Q 268 里親委託にかかる児童との適合の調整期間は、短くても1年程度を目安とする。

Q 269 里親委託されている障害のある子どもは、障害児通所支援を受けることができない。

Q 270 養子縁組里親は、養育里親研修を修了していることが要件の一つとされている。

Q 271 里親支援専門相談員は、児童相談所に配置される。

Q 272 子どもを里親委託した保護者は、原則として子どもとの面会が可能である。

Q 273 小規模住居型児童養育事業は、5人または6人の児童を養育者の家庭において養育を行う取り組みである。

Q 274 小規模住居型児童養育事業の委託児童からの苦情その他の意思表示について、養育者は直接対応することはできない。

A 267 現状では児童養護施設への措置変更がとられることが多いが、原則として<u>里親</u>委託への措置<u>変更</u>を検討する。　〇

A 268 里親家庭を選択する場合には、長い場合でもおおむね<u>2、3か月</u>程度を<u>目安</u>とする。　×

A 269 里親に委託されている障害のある子どもであっても、必要に応じて<u>障害児通所</u>支援を受けることができる。　×

A 270 養子縁組里親の場合、<u>都道府県知事</u>が実施する<u>養子縁組里親研修</u>を修了していることが要件の一つである。　×

A 271 里親支援専門相談員は、<u>乳児院</u>、児童養護施設、児童心理治療施設、児童自立支援施設に配置される。　×

A 272 「里親委託ガイドライン」では、原則として<u>保護者</u>と子どもとの面会を可能としている。　〇

A 273 里親やNPO法人等が<u>届出</u>を行って認可されることで実施できる事業で、<u>複数の子ども</u>を預かることができる。　〇

A 274 「児童福祉法施行規則」において、養育者は、その行った養育に関する<u>委託児童</u>からの苦情その他の<u>意思表示</u>に対し、迅速かつ適切に対応しなければならないとしている。　×

Q 275 小規模住居型児童養育事業の対象児童は、要支援児童である。

Q 276 小規模住居型児童養育事業の養育者は、一の家族を構成していなければならない。

Q 277 小規模住居型児童養育事業は、住居ごとに養育者を2人、1人以上の補助者を置かなければならない。

Q 278 小規模住居型児童養育事業の養育者は、事業を行う住居以外に生活の本拠を置くことができる。

Q 279 小規模住居型児童養育事業は、第一種社会福祉事業である。

Q 280 小規模住居型児童養育事業の養育者は、児童相談所長が作成した自立支援計画に従って児童を養育しなければならない。

Q 281 「福祉行政報告例」（厚生労働省）では、令和4年3月末現在の里親と小規模住居型児童養育事業（ファミリーホーム）への委託児童数は、平成26年3月末と比べ5倍に増加している。

Q 282 「里親及びファミリーホーム養育指針」では、里親及びファミリーホームに委託される子どもは、原則として新生児から義務教育終了までの子どもとされている。

A 275 対象児童は保護者のないまたは保護者に監護させることが不適当と認められる<u>要保護児童</u>である。 ✕

A 276 <u>夫婦</u>など一の<u>家族</u>を構成している者でなければならない。 ◯

A 277 <u>家庭的</u>環境が確保されている場合には、養育者1人、補助者<u>2</u>人以上とすることもできる。 ◯

A 278 小規模住居型児童養育事業の養育者は、事業を行う<u>住居</u>に生活の<u>本拠</u>を置く者でなければならない。 ✕

A 279 小規模住居型児童養育事業は、「社会福祉法」に規定される<u>第二種社会福祉事業</u>である。 ✕

A 280 児童相談所長があらかじめ<u>養育者</u>、委託児童、その保護者の意見を聴いて作成した<u>自立支援計画</u>に従って養育しなければならない。 ◯

A 281 平成26年3月末時点の里親と小規模住居型養育事業の児童数が5,629人であるのに対し、令和4年3月末現在は7,798人のため、<u>約1.4倍</u>である。 ✕

A 282 <u>新生児</u>から<u>年齢</u>の高い子どもまで、<u>すべての子ども</u>が対象になるとしている。 ✕

4 社会的養護の課題

Q 283 施設等を退所して家庭復帰した後には、継続的支援が必要である。

Q 284 要保護児童、要支援児童については要保護児童対策地域協議会が担当するが、特定妊婦については担当しない。 児福

Q 285 令和5年10月1日において、地域小規模児童養護施設（グループホーム）の数は500を超えている。 統計

Q 286 令和5年10月1日において、児童養護施設の入所児童総数のうち、大・中・小舎に入所している児童は5割を越えている。 統計

Q 287 児童養護施設入所児童の入所理由は複雑・重層化し、様々な要因が絡み合っている。

Q 288 大舎制施設では、子どもの個別ニーズを把握しにくい。

Q 289 「児童養護施設入所児童等調査結果（令和5年2月1日現在）」によると、児童養護施設入所児童のうち心身の状況について「該当あり」の児童の割合は前回調査（平成30年）より減少している。 統計

Q 290 社会的養護では、要保護児童等を保護し、社会的責任で養育するが、養育に困難を抱える家庭への支援は行われない。

A 283 施設退所後には、市町村のネットワークでの見守り、継続的支援に結びつけられていく。 ○

A 284 要保護児童、要支援児童だけでなく、特定妊婦についても要保護児童対策地域協議会が担当する。 ×

A 285 令和5年10月1日において、地域小規模児童養護施設は607か所で、500を超えている。 ○

A 286 「社会的養育の推進に向けて（令和6年6月）」によると大・中・小舎に入所している児童は37.5%である。 ×

A 287 児童養護施設入所児童の入所理由は複雑・重層化し、親による虐待であっても、経済的困難・両親の不仲・精神疾患・養育能力の欠如など様々な要因が絡み合っている。 ○

A 288 大舎制施設では、子どもの個別ニーズを把握しにくく、即応するなどの柔軟な個別対応が難しい。 ○

A 289 児童養護施設入所児童のうち、心身の状況(障害等)について「該当あり」の児童の割合は、前回調査（36.7%）より増加（42.8%）している。 ×

A 290 社会的養護では、要保護児童等を公的責任で社会的に養育し、保護するとともに、養育に大きな困難を抱える家庭への支援を行う。 ×

社会的養護

93

Point 9　社会的養護の体系

◎ 社会的養護とは

社会的養護とは、国や地方公共団体が、里親や児童福祉施設に委託するかたちで、子どもの養育を社会的に保障することです。

● 家庭と同様の環境における養育の推進

	良好な家庭的環境	家庭と同様の養育環境	家庭

施設	施設（小規模）	養子縁組（特別養子縁組を含む。）	実親による養育
		小規模住居型児童養育事業　里親	

児童養護施設 大舎（20人以上）、 中舎（13〜19人）、 小舎（12人以下） 1歳〜18歳未満 （必要な場合 0歳〜20歳未満）	地域小規模児童養護施設 （グループホーム） ・本体施設の支援の下で地域の民間住宅などを活用して家庭的養護を行う ・1グループ4〜6人	小規模住居型児童養育事業 （ファミリーホーム） ・養育者の住居で養育を行う家庭養護 ・定員5〜6人	里親 ・家庭における養育を里親に委託する家庭養護 ・児童4人まで
乳児院 乳児（0歳） 必要な場合幼児 （小学校就学前）	小規模グループケア（分園型） ・地域において、小規模なグループで家庭的養護を行う ・1グループ4〜6人		

出典：こども家庭庁「社会的養護の推進に向けて」をもとに作成

1) 施設養護…施設に入所させ、保護者に代わって養育を行う。施設養護のなかで、家庭的な養育環境をめざす取り組みを施設養護（小規模型）とよぶ。

2) 家庭と同様の環境における養育…家庭もしくは家庭に近い環境で社会的養護を行う。

得点 UP の 🔑　法律上の保護者とは

「児童福祉法」第6条で、「親権を行う者、未成年後見人その他の者で、児童を現に監護する者」と定義。実父あるいは実母でも、離婚により親権を放棄した場合は、保護者にあたらない。

　わが国では長い間、社会的養護の中心は**施設養護**でした。また、個人や宗教団体による救済が中心でした。1947（昭和22）年の「**児童福祉法**」制定以後、国による養護が法定化されました。

● 日本における社会的養護の重要な出来事

奈良時代	貧しい人の医療施設として施薬院が、養護施設として悲田院が設置されたといわれる
鎌倉時代	真言律宗の忍性が貧者・病人・非人の救済に尽力
江戸時代（19世紀）	学者の佐藤信淵が貧民の乳幼児を保育する「慈育院」、幼児を楽しく遊ばせる施設「遊児廠」の設置を構想
1879（明治12）年	仏教の各宗が集まり、福田会育児院を創設
1887（明治20）年	キリスト教の精神から、石井十次が岡山に孤児教育会を開設。のちに岡山孤児院に改称
1891（明治24）年	キリスト教に基づき、石井亮一が知的障害児のための滝乃川学園を創設
1899（明治32）年	留岡幸助、東京の巣鴨に家庭学校を創設
1900（明治33）年	「感化法」の制定で、感化院が制度として規定された
1933（昭和8）年	「児童虐待防止法（旧）」で、14歳未満の児童に軽業、見せ物、物乞いなどをさせることを禁止
1947（昭和22）年	「児童福祉法」制定。助産施設、母子寮、乳児院、保育所、児童厚生施設、養護施設、精神薄弱児施設、療育施設、教護院を規定
1961（昭和36）年	「児童福祉法」改正。情緒障害児短期治療施設を創設
1997（平成9）年	「児童福祉法」改正。母子寮→母子生活支援施設、養護施設・虚弱児施設→児童養護施設、教護院→児童自立支援施設に改称。児童家庭支援センター創設
2010（平成22）年	「児童福祉法」改正。障害児入所施設、児童発達支援センター創設
2016（平成28）年	「児童福祉法」改正。情緒障害児短期治療施設→児童心理治療施設に施設の目的も変更。里親の規定も改正

　石井十次と石井亮一が紛らわしいので、「**じゅんじ**（順次）孤児を受け入れた石井**十次**」と覚えます。

社会的養護

◎ 施設養護

養育環境に問題のある児童、心身に障害のある児童、社会生活適応困難・行動面に問題のある児童などを施設において保護者に代わって保護・養育することを施設養護といいます。

● 施設養護の対象

施設	対象児童
乳児院	乳児（特に必要な場合は、幼児を含む）
児童養護施設	保護者のない児童、虐待されている児童その他環境上養護を要する児童（特に必要な場合は、乳児を含む）
児童心理治療施設	対象児童は、家庭環境、学校における交友関係その他の環境上の理由により社会生活への適応が困難となった児童
児童自立支援施設	不良行為をなし、又はなすおそれのある児童及び家庭環境その他の環境上の理由により生活指導等を要する児童
母子生活支援施設	配偶者のない女子又はこれに準ずる事情にある女子及びその者の監護すべき児童

出典：厚生労働省「社会的養育の推進に向けて」

◎ 施設養護（小規模型）

施設養護のなかで、家庭に近い環境をめざす小規模なものを施設養護（小規模型）といいます。わが国では地域小規模児童養護施設（グループホーム）と小規模グループケアがこれにあたります。

◎ 家庭と同様の環境における養育

養育者の生活の場である家庭に委託し、保護・養育を行うことを家庭と同様の環境における養育といいます。わが国では、里親と養子縁組、小規模住居型児童養育事業（ファミリーホーム）がこれにあたります。

● 里親の種類

種類		対象
養育里親		要保護児童
	専門里親	特別な配慮が必要な要保護児童
親族里親		要保護児童で、扶養義務のある親族
養子縁組里親		養子縁組が可能な要保護児童

社会的養護

	乳児院（乳幼児10人以上の施設）	母子生活支援施設	保育所	児童養護施設	障害児入所施設	児童発達支援センター	児童心理治療施設	児童自立支援施設
医師	▲				● 医療型 福祉型(自閉)		● ★1	▲ ★2
嘱託医	▲	●	●	●	● 福祉型(自閉・盲ろうあ) ★3	● ★1		● ★2
看護師 ★4	● ★5			● ★6	● 医療型 福祉型(自閉・肢体)	●	●	
保育士			●	●	●	●	●	●
児童指導員				●	●	●	●	●
個別対応職員	●	● ★7		●			●	●
家庭支援専門相談員	●			●			●	●
心理療法担当職員	● ★8	● ★8		● ★8			●	● ★8
職業指導員				● ★9	福祉型 ● ★10			● ★9
栄養士	●			●	福祉型 ●	●	●	●
調理員	●	●	●	●	福祉型 ●	●	●	●
その他		母子支援員 少年を指導する職員			医療型 心理担当職員 ★11 (肢体・重症心身) …理学・作業療法士	児童発達支援管理責任者 児童発達支援管理責任者 機能訓練担当職員		児童自立支援専門員 児童生活支援員

●：必要　▲：いずれかでも可
★1：精神科または小児科の診療に相当の経験を有する者
★2：精神科の医師または嘱託医と、嘱託医が必置
★3：主として自閉症児を入所させる場合は精神科または小児科、盲ろうあ児を入所させる場合は眼科または耳鼻咽喉科の診療に相当の経験を有する者
★4：福祉型障害児入所施設と医療的ケアを行う児童発達支援センターは看護職員（保健師、助産師、看護師または准看護師）
★5：最低限を配置すれば保育士、児童指導員に代えることができる
★6：乳児を入所させる場合
★7：個別対応を行う場合
★8：規定数以上の人数に心理療法を行う場合
★9：実習設備を設けて職業指導を行う場合
★10：職業指導を行う場合
★11：医療型施設では心理支援を担当する職員

子ども家庭福祉

1 子ども家庭福祉の成立と展開

Q 291 世界で最初に子どもの権利を保障したのは「児童の権利に関するジュネーブ宣言」である。

Q 292 国際連合は、「児童の権利に関する宣言」を採択する8年前に「児童憲章」を採択した。

Q 293 国際連合は、1989（平成元）年に「児童の権利に関する条約」を採択した。

Q 294 国際連合が1959年に採択した「児童権利宣言」では、児童は保護される存在であった。

Q 295 日本が「児童の権利に関する条約」に批准したのは、「児童の権利に関するジュネーブ宣言」の採択より後である。

Q 296 子どもを権利の享受者としてだけではなく、権利の行使者として認めているのは「児童権利宣言」である。

Q 297 「児童の権利に関する条約」では、締約国は、いかなる場合も児童がその父母の意思に反して父母から分離されないことを確保するとしている。

Q 298 「児童の権利に関する条約」では、締約国は、自己の意見を形成する能力のある児童がその児童に影響を及ぼすすべての事項について自由に自己の意見を表明する権利を確保するとしている。

子ども家庭福祉の理念と、現代の子ども家庭福祉制度について、しっかり基本を押さえましょう。「児童福祉法」と「児童福祉施設の設備及び運営に関する基準」は特に重要です。

A 291 1924（大正13）年に<u>国際連盟</u>で採択された「児童の権利に関するジュネーブ宣言」は、その後の「<u>児童権利宣言</u>」等に影響を与えている。　○

A 292 「児童憲章」は<u>わが国</u>独自のもので、<u>1951</u>（昭和26）年に制定された。　×

A 293 「児童の権利に関する条約」は、児童の<u>権利</u>と<u>保護</u>に関する総括的な国際条約である。　○

A 294 児童は、<u>身体</u>的・<u>精神</u>的に未熟なため、<u>出生前後</u>から適当な法律上の保護を含めて、特別に守り、世話することが必要としている。　○

A 295 「児童の権利に関するジュネーブ宣言」の採択は<u>1924</u>年、「児童の権利に関する条約」への批准は<u>1994</u>（平成6）年である。　○

A 296 子どもを権利の行使者（<u>権利の主体</u>）として認めているのは「<u>児童の権利に関する条約</u>」である。　×

A 297 第9条で締約国は、<u>児童がその父母の意思に反して</u>その父母から分離されないことを確保するとしているがいかなる場合も、とはされていない。　×

A 298 第12条の規定である。設問の内容に続けて、この場合において、児童の意見は、その<u>児童の年齢及び成熟度</u>に従って相応に考慮されるものとするとしている。　○

子ども家庭福祉

2 子ども家庭福祉の法律

Q 299 「児童福祉法」では、児童を心身ともに健やかに育成する第一義的責任は保護者が負うものとしている。
[児福]

Q 300 「児童福祉法」には、児童の最善の利益が優先して考慮されることが盛り込まれている。[児福]

Q 301 「児童福祉法」では、「児童の権利に関する条約」にのっとって児童の権利が保障されることについての規定はない。[児福]

Q 302 「児童福祉法」では、生まれてから小学校就学の始期に達するまでの者を乳幼児という言葉で規定している。[児福]

Q 303 「児童福祉法」で定義されている妊産婦は、妊娠中または出産後２年以内の女子をいう。[児福]

Q 304 「児童福祉法」では、保護者のなかに未成年後見人を含めている。[児福]

Q 305 「児童福祉法」では、障害児を、身体障害又は知的障害のある児童と規定している。[児福]

Q 306 2023（令和５）年４月に、厚生労働省所管のこども家庭庁が創設された。

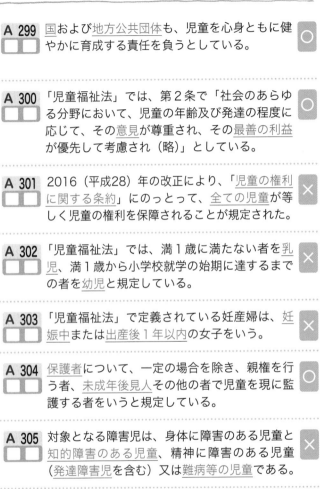

A 299 国および地方公共団体も、児童を心身ともに健やかに育成する責任を負うとしている。 ○

A 300 「児童福祉法」では、第2条で「社会のあらゆる分野において、児童の年齢及び発達の程度に応じて、その意見が尊重され、その最善の利益が優先して考慮され（略）」としている。 ○

A 301 2016（平成28）年の改正により、「児童の権利に関する条約」にのっとって、全ての児童が等しく児童の権利を保障されることが規定された。 ✕

A 302 「児童福祉法」では、満1歳に満たない者を乳児、満1歳から小学校就学の始期に達するまでの者を幼児と規定している。 ✕

A 303 「児童福祉法」で定義されている妊産婦は、妊娠中または出産後1年以内の女子をいう。 ✕

A 304 保護者について、一定の場合を除き、親権を行う者、未成年後見人その他の者で児童を現に監護する者をいうと規定している。 ○

A 305 対象となる障害児は、身体に障害のある児童と知的障害のある児童、精神に障害のある児童（発達障害児を含む）又は難病等の児童である。 ✕

A 306 こども家庭庁は、内閣府の所管である。子どもに関する様々な施策等を一括して扱い、「こどもまんなか社会」を目指している。 ✕

子ども家庭福祉

Q 307 「児童扶養手当法」、「児童福祉法」、「児童手当法」、「児童虐待の防止等に関する法律」、「少年法」のうち、最初に制定されたのは「児童福祉法」である。

Q 308 保育士資格が国家資格化されたのは、2001（平成13）年の「児童福祉法」改正においてである。 児福

Q 309 「児童福祉法」では、幼保連携型認定こども園が児童福祉施設の一つとして規定されている。 児福

Q 310 2016（平成28）年の「児童福祉法」改正により、情緒障害児短期治療施設は、2017（平成29）年4月から児童心理治療施設に改称された。 児福

Q 311 都道府県知事が家庭裁判所の承認を得て行う施設入所の措置の期間が、原則として2年以内とされたのは、2008（平成20）年の「児童福祉法」改正においてである。 児福

Q 312 「児童福祉法」では、放課後児童健全育成事業の対象を小学校4年生修了までの児童としている。 児福

Q 313 2008（平成20）年の「児童福祉法」改正において、小規模住居型児童養育事業が創設された。 児福

Q 314 2010（平成22）年の「児童福祉法」改正により、精神障害児が障害児に加えられたが、発達障害児は加えられていない。 児福

A 307 制定年は、「児童扶養手当法」（1961年）、「児童福祉法」（1947年）、「児童手当法」（1971年）、「児童虐待の防止等に関する法律」（2000年）、「少年法」（1948年）である。 ○

A 308 保育士資格は、2001（平成13）年の「児童福祉法」改正によって国家資格とされ、2003（平成15）年11月から施行された。 ○

A 309 幼保連携型認定こども園は、学校および「児童福祉法」上の児童福祉施設として規定されている。 ○

A 310 対象児童は家庭環境、学校における交友関係その他の環境上の理由により社会生活への適応が困難となった児童である。 ○

A 311 要保護児童に対する家庭裁判所の関与の見直しが行われたのは、2004（平成16）年の「児童福祉法」改正においてである。 ×

A 312 「児童福祉法」では、放課後児童健全育成事業の対象児童を小学校就学児童としている。 ×

A 313 従来のファミリーホームが法定化されて第二種社会福祉事業とされた。これにより、事業者としての届出が必要となった。 ○

A 314 精神障害児に含めるかたちで、発達障害児も障害児に加えられた。なお、2012（平成24）年の改正で難病等の児童も加えられた。 ×

子ども家庭福祉

Q 315 児童手当は、子ども・子育て支援の適切な実施を図るため、児童を養育している者に支給される。

Q 316 児童扶養手当は、父または母が障害者である場合にも支給される。

Q 317 都道府県知事が行った障害児福祉手当に関する処分に不服がある場合、異議を申し立てることができる。

Q 318 「特別児童扶養手当等の支給に関する法律」は、特に経済的に厳しいひとり親家庭の子どもに対する現金給付について定めている。

Q 319 「母子及び父子並びに寡婦福祉法」では、母子家庭等および寡婦の生活の安定と向上を目的としている。

Q 320 「母子及び父子並びに寡婦福祉法」では、特定教育・保育施設の利用等に関する特別な配慮について規定している。

Q 321 「母子保健法」は、母親、乳児及び幼児、学齢期の児童を対象としている。

Q 322 保健所は、母子保健において一般的な健康相談や健康教育、健康診査の拠点となる。

Q 323 「児童買春・児童ポルノ禁止法」では、日本人が国外で行った性的搾取や性的虐待は処罰の対象としていない。

A 315 児童手当は、「子ども・子育て支援法」に規定されている現金給付として支給される。　○

A 316 父または母が政令で定める程度の障害の状態にある児童も児童扶養手当の支給対象とされている。　○

A 317 児童扶養手当、特別児童扶養手当、障害児福祉手当、特別障害者手当のいずれも、処分に不服があれば異議を申し立てることができる。　○

A 318 精神又は身体に障害を有する児童、精神又は身体に重度の障害を有する児童、精神又は身体に著しく重度の障害を有する者に手当を支給することを定めている。　×

A 319 「母子及び父子並びに寡婦福祉法」では、母子家庭等および寡婦の生活の安定と向上に必要な措置を講じて母子家庭等および寡婦の福祉を図ることを目的としている。　○

A 320 母子家庭等の児童について、特定教育・保育施設、特定地域型保育事業の利用について特別な配慮をすることを規定している。　○

A 321 「母子保健法」は、母性並びに乳児及び幼児を対象とすることが規定されている。　×

A 322 母子保健において、一般的な健康相談や健康教育、健康診査の拠点になるのは、市町村保健センターである。　×

A 323 「児童買春・児童ポルノ禁止法」では、国外犯も含めて、性的搾取や性的虐待など処罰の対象となる行為や刑罰について規定している。　×

3 子ども家庭福祉の機関と施設

Q 324 児童福祉審議会は、国と都道府県に設置義務がある。
[児福]

Q 325 都道府県知事（指定都市の市長）が里親の認定を行う場合には、児童福祉審議会が意見を求められる。

Q 326 児童福祉施設への入所措置は、都道府県知事から委任を受けた児童相談所長が行うことができる。[児福]

Q 327 児童相談所には、児童を一時保護するための一時保護所を設置する義務がある。[児福]

Q 328 都道府県・指定都市および児童相談所設置市は、その設置する児童相談所に児童福祉司を置かなければならない。[児福]

Q 329 自立援助ホームは、児童の自立支援を図る観点から、義務教育修了後、里親等への委託又は児童養護施設等への入所措置が解除された児童等に対し、これらの者が共同生活を営むべき住居である。

Q 330 乳児院は、乳児を入院させて養育する施設であるため、1歳児になると児童養護施設へ措置変更になる。[児福]

Q 331 児童家庭支援センターでは、家庭その他からの児童に関するどのような相談にも応じている。[児福]

A 324 児童福祉審議会は、都道府県と指定都市に<u>必置</u>、市町村には<u>任意</u>で設置される。 ☒

A 325 <u>児童福祉審議会</u>は、児童、妊産婦、知的障害者の福祉に関する事項を調査審議するために設置されたものである。その業務範囲には、都道府県知事(指定都市の市長)が里親の認定をする場合に意見を求められることも含まれる。 ◯

A 326 児童福祉施設への入所措置、里親への委託、家庭裁判所への送致などは都道府県知事(指定都市市長)の権限であるが、<u>児童相談所長</u>に権限を<u>委任</u>することができる。 ◯

A 327 児童相談所の一時保護所は、<u>必要に応じ、設けなければならない</u>と規定され、必置ではない。 ☒

A 328 「児童福祉法」第13条の規定である。第13条では「都道府県は」と規定しているが、大都市の特例により<u>指定都市</u>、<u>児童相談所設置市</u>も児童福祉司を置かなければならない。 ◯

A 329 自立援助ホームは、「児童福祉法」第6条の3第1項に規定される<u>児童自立生活援助事業</u>を実施する住居である。 ◯

A 330 乳児院の目的では、特に<u>必要</u>のある場合には<u>幼児</u>も入院できるとしている。 ☒

A 331 児童家庭支援センターで扱う家庭その他からの相談は、<u>専門的</u>な知識・<u>技術</u>を必要とするものである。 ☒

107

Q 332 こども家庭審議会、社会保障審議会、都道府県児童福祉審議会は、児童及び知的障害者の福祉を図るため、芸能、出版物、玩具、遊戯等を推薦し、又はそれらを製作し、興行し、若しくは販売する者等に対し、必要な勧告をすることができる。 児福

Q 333 都道府県は、児童に関する家庭その他からの相談のうち、専門的な知識及び技術を必要とするものに応ずる。

Q 334 母子生活支援施設の目的には、母子家庭の自立の促進のための支援も含まれている。 児福

Q 335 児童相談所が受ける養護相談には、保護者の家出による養育困難児に関する相談が含まれる。

Q 336 児童発達支援センターへの入所措置は、障害支援区分に基づき行われる。

Q 337 児童自立支援施設を退所した者の支援は、児童相談所が行い、児童自立支援施設は行わない。 児福

Q 338 里親支援センターは、里親からの相談には応じるが、里親になろうとしている者からの相談には応じない。

Q 339 障害児通所支援は、児童発達支援、居宅訪問型児童発達支援の2事業から構成されている。 児福

A 332 必要な勧告を行う機関として、2023（令和5）年4月1日から、こども家庭審議会が加えられた。 ○

A 333 「児童福祉法」第11条に児童及び妊産婦の福祉に関して行うこととして規定されている都道府県の業務のうちの一つである。 ○

A 334 母子生活支援施設は、母子家庭の母親とその母親の監護すべき児童を保護するとともに、自立の促進のためにその生活を支援し、退所後もその相談その他の援助を行うこととしている。 ○

A 335 養護相談には、父又は母等保護者の家出、失踪、死亡、離婚、入院等による養育困難児に関する相談が含まれる。 ○

A 336 障害支援区分は、障害の程度を判定する際に用いられる。 ✕

A 337 児童自立支援施設の目的に、退所した者について相談その他の援助を行うとしている。 ✕

A 338 里親支援センターは、里親支援事業を行うほか、里親、里親に養育される児童、里親になろうとする者について相談その他の援助を行うことを目的とする施設である。 ✕

A 339 児童発達支援、放課後等デイサービス、保育所等訪問支援、居宅訪問型児童発達支援の4事業である。 ✕

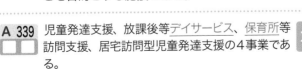

子ども家庭福祉

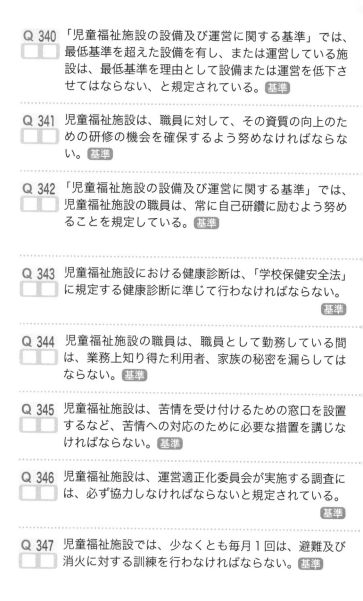

Q 340 「児童福祉施設の設備及び運営に関する基準」では、最低基準を超えた設備を有し、または運営している施設は、最低基準を理由として設備または運営を低下させてはならない、と規定されている。 基準

Q 341 児童福祉施設は、職員に対して、その資質の向上のための研修の機会を確保するよう努めなければならない。 基準

Q 342 「児童福祉施設の設備及び運営に関する基準」では、児童福祉施設の職員は、常に自己研鑽に励むよう努めることを規定している。 基準

Q 343 児童福祉施設における健康診断は、「学校保健安全法」に規定する健康診断に準じて行わなければならない。 基準

Q 344 児童福祉施設の職員は、職員として勤務している間は、業務上知り得た利用者、家族の秘密を漏らしてはならない。 基準

Q 345 児童福祉施設は、苦情を受け付けるための窓口を設置するなど、苦情への対応のために必要な措置を講じなければならない。 基準

Q 346 児童福祉施設は、運営適正化委員会が実施する調査には、必ず協力しなければならないと規定されている。 基準

Q 347 児童福祉施設では、少なくとも毎月1回は、避難及び消火に対する訓練を行わなければならない。 基準

A 340 また、児童福祉施設は、「児童福祉施設の設備及び運営に関する基準」を超えて、<u>常に</u>その設備、運営を<u>向上</u>させなければならない、とも規定している。　○

A 341 児童福祉施設は、職員に対して、その資質の向上のための<u>研修の機会</u>を<u>確保しなければならない</u>と規定されている。　×

A 342 常に<u>自己研鑽</u>に励み、法に定めるそれぞれの施設の目的を達成するために必要な知識及び技能の修得、<u>維持</u>及び向上に努めなければならないと規定されている。　○

A 343 児童福祉施設での健康診断は、入所時、少なくとも1年に2回の定期健康診断、臨時の健康診断を「<u>学校保健安全法</u>」の規定に準じて行う。　○

A 344 児童福祉施設の職員は、施設に勤務している間、また<u>施設を退職した後</u>においても利用者や家族の秘密を漏らしてはならない。　×

A 345 児童福祉施設では、入所者やその保護者等からの苦情に<u>迅速かつ適切</u>に対応するために、苦情受付窓口の設置などを行わなければならない。　○

A 346 児童福祉施設では、運営適正化委員会の調査には、<u>できる限り協力</u>しなければならないと規定されている。　×

A 347 児童福祉施設は、非常災害に対する具体的な計画を立て、<u>避難</u>と<u>消火</u>に対する訓練については、少なくとも毎月1回行わなければならない。　○

4 子ども家庭福祉施策

Q 348 「新子育て安心プラン」、「子ども・子育てビジョン」、「子ども・子育て応援プラン」のうち最も新しいプランは、「新子育て安心プラン」である。

Q 349 「新子育て安心プラン」では、25〜44歳の男性の就業率上昇に対応し、保育の受け皿を整備するとしている。

Q 350 「子ども・子育てビジョン」では、3つの大切な姿勢の一つに、社会全体で子育てを支えるという項目をあげている。

Q 351 「新子育て安心プラン」では、支援のポイントの一つとして、魅力向上を通じた保育士の確保があげられている。

Q 352 市町村に「次世代育成支援対策推進法」に基づく行動計画の策定義務はない。

Q 353 「次世代育成支援対策推進法」に基づく地域の行動計画は、保育に特化した計画である。

Q 354 「子ども・子育て応援プラン」の後継策の「子ども・子育てビジョン」では、「子どもが主人公」という考え方が示されている。

Q 355 「子ども・子育て支援新制度」の趣旨には、保護者の選択に基づいて支援を提供することが盛り込まれている。

A 348 「新子育て安心プラン」は2020年に公表、「子ども・子育てビジョン」は2010年に閣議決定、「子ども・子育て応援プラン」は2004年に少子化社会対策会議で策定された。 ○

A 349 「新子育て安心プラン」では、25～44歳の女性の就業率上昇に対応し、保育の受け皿を整備するとしている。 ×

A 350 3つの大切な姿勢は、①生命（いのち）と育ちを大切にする、②困っている声に応える、③生活（くらし）を支えるである。 ×

A 351 「新子育て安心プラン」では地域の特性に応じた支援、魅力向上を通じた保育士の確保、地域のあらゆる子育て資源の活用が支援のポイントとしてあげられている。 ○

A 352 第8条において、市町村は、市町村行動計画を策定することができるとしている。 ○

A 353 子育て支援、母子の健康の確保及び増進など多岐にわたる計画で、保育に特化していない。 ×

A 354 「子どもが主人公」という考え方は、「チルドレン・ファースト」と表現されている。 ○

A 355 「子ども・子育て支援新制度」の趣旨は、子ども・保護者の置かれている環境に応じ、保護者の選択に基づき、多様な施設・事業者から、良質かつ適切な教育・保育、子育て支援を総合的に提供する体制を確保するとしている。 ○

子ども家庭福祉

Q 356 家庭的保育事業を行う際、家庭的保育者1人で保育する場合は4人以下の乳児・幼児を保育することができる。

Q 357 延長保育事業の時間中に必要な間食や給食は、自宅から持参することとされている。

Q 358 「ヤングケアラー」は、本来大人が担うと想定される家事や家族の世話などを日常的に行っている子ども・若者のことである。

Q 359 一時預かり事業の余裕活用型とは、保育所等において、利用児童数が定員に達していない場合に、定員の範囲内で実施するものである。

Q 360 養育支援訪問事業では、障害児に対する療育や栄養指導を行っている。

Q 361 病児保育事業の病児対応型は、小学校就学児童も対象である。 児福

Q 362 地域子育て支援拠点事業は、市町村を実施主体とする地域子ども・子育て支援事業の一つとして行われている。

A 356 家庭的保育者1人で保育する場合は乳幼児3人以下、補助者と2人で保育する場合は乳幼児5人以下とされている。 ✕

A 357 延長保育事業では、対象児童に対し、適宜、間食または給食などを提供することとされている。 ✕

A 358 「ヤングケアラー」は、親や家族の介護、親に代わってきょうだいの世話などを行っている子ども・若者をいう。 ◯

A 359 一時預かり事業には、一般型、余裕活用型、幼稚園型Ⅰ、幼稚園型Ⅱ、居宅訪問型、地域密着Ⅱ型、災害特例型がある。余裕活用型は、保育所等の利用児童数が定員に達していない場合に定員の範囲内で一時預かりを実施する事業である。 ◯

A 360 養育支援訪問事業は、若年養育者や出産後間もない時期の養育者、産褥期の母子、児童養護施設等退所後の児童の家庭等を対象とした相談・支援を行う事業で、障害児は対象としていない。 ✕

A 361 「病児保育事業実施要綱」によれば、病児保育事業のうち、病児対応型、病後児対応型、非施設型は、乳幼児または小学校就学児童が対象である。体調不良児対応型は事業実施保育所等、送迎対応は保育所等に通所している児童がそれぞれ対象である。 ◯

A 362 市町村を実施主体とし、社会福祉法人、NPO法人、民間事業者などに運営の全部または一部を委託することも可能とされている。 ◯

5 障害のある児童への対応

Q 363 障害児に対する自立支援医療（旧育成医療）は、すべての障害を対象としている。

Q 364 障害児等療育支援事業は、在宅の障害児（者）の地域における生活を支えるために実施されている。

Q 365 「児童福祉法」による療育の指導は、身体障害児と知的障害児に対して実施されている。 児福

Q 366 「児童福祉法」に基づいて、障害児に対する重度訪問介護が実施されている。

Q 367 保育所等訪問支援の対象として、乳児院に入所している障害児は含まれない。

Q 368 「小児慢性特定疾病医療支援」の対象疾患には、糖尿病も含まれている。

Q 369 放課後等デイサービスは、「学校教育法」第1条に規定する学校（幼稚園を含む）に通っている障害児を対象としている。

Q 370 居宅訪問型児童発達支援は、居宅を訪問するため障害児通所支援には含まれない。

A 363 自立支援医療（旧育成医療）は、身体障害児を対象としている。 ×

A 364 障害児等療育支援事業は、訪問による療育指導、外来による専門的な療育相談・指導などを行うことで、障害児（者）の地域での生活を支えるものである。 ○

A 365 療育の指導は、身体障害児が早期治療及び適切な指導によって少しでも独立自活の能力を得られるように実施されているものである。 ×

A 366 重度訪問介護は「障害者総合支援法」に基づいて実施されている。「児童福祉法」に基づく障害児サービスとして、児童発達支援、保育所等訪問支援、放課後等デイサービスなどがある。 ×

A 367 保育所等訪問支援は、保育所、乳児院、児童養護施設等を訪問して、障害児に対して障害児以外の児童との集団生活適応のための支援を行う。 ×

A 368 「小児慢性特定疾病医療支援」対象疾患群には悪性新生物、先天性代謝異常などがあり、糖尿病も含まれている。 ○

A 369 「学校教育法」第1条に規定する学校のうち幼稚園と大学は除くとしている。 ×

A 370 障害児通所支援は、児童発達支援、放課後等デイサービス、居宅訪問型児童発達支援、保育所等訪問支援をいう。 ×

6 少年非行等への対応

Q 371 「少年法」における「少年」とは、20歳に満たないものを指す。

Q 372 14歳未満であっても、おおむね12歳以上であれば、犯罪を行った者を少年院に送致することができる。

Q 373 家庭環境に問題のある非行傾向のある児童は、基本的に児童相談所における判定結果に基づいて措置が行われる。

Q 374 犯罪少年の場合、すべて家庭裁判所に送致される。

Q 375 児童自立支援施設に送致された少年に対して、施設長は就学させるよう努めなければならないとしている。

児福

Q 376 14歳未満の触法少年は、すべて家庭裁判所の調査・審判の対象となる。

Q 377 「少年法」では、弁護人を、少年に対して法律上監護教育の義務のある者及び少年を現に監護する者と規定している。

Q 378 保護処分になった少年は、すべて児童自立支援施設に送致される。

A 371 「少年法」では、20歳未満の者を少年（2022年4月より18、19歳は特定少年）としている。　○

A 372 2007（平成19）年の「少年法」の改正によって、少年院送致の対象年齢がおおむね12歳以上に引き下げられた。　○

A 373 児童相談所が、訓戒・誓約書の提出、児童福祉司などの指導、里親委託、児童自立支援施設などへの入所、家庭裁判所への送致などの措置をとる。　○

A 374 14歳以上で犯罪を行った犯罪少年は、すべて家庭裁判所で調査・審判を受けなければならない。　○

A 375 児童自立支援施設長は、入所した少年を就学させなければならないとしている。地域の小中学校か施設内の分校に就学させる義務がある。　×

A 376 14歳未満の触法少年は、都道府県知事または児童相談所から送致された場合のみ家庭裁判所の調査・審判の対象となる。　×

A 377 「少年法」では、少年に対して法律上監護教育の義務のある者及び少年を現に監護する者を、保護者と規定している。　×

A 378 保護観察所による保護観察、児童自立支援施設または児童養護施設への送致、少年院送致のいずれかの処分がとられる。　×

Q 379 マス・スクリーニング検査の対象疾患には、クレチン症が含まれる。

Q 380 1歳6か月児健診、3歳児健診は、都道府県が実施主体となって行われている。

Q 381 「母子保健法」では、妊娠した者は、内閣府令で定める事項につき、速やかに、市町村長に妊娠の届出をするようにしなければならないと規定している。

Q 382 市町村は、出産後2年を経過しない女子及び乳児の心身の状態に応じた保健指導、療養に伴う世話または育児に関する指導、相談その他の援助を必要とする出産後2年を経過しない女子及び乳児について産後ケア事業を行うよう努めなければならない。

Q 383 「母子保健法」に規定されている未熟児の訪問指導は、医師のほか、保健師、助産師なども行うことができる。

Q 384 未熟児養育医療は、2,500g未満で生まれた低体重児すべてを対象としている。

Q 385 「母子保健法」でいう低（出生）体重児とは、2,500g未満で生まれた乳児をいう。

A 379 先天性代謝異常症や先天性甲状腺機能低下症（クレチン症）、先天性副腎過形成症などがマス・スクリーニング検査の対象疾患である。 〇

A 380 妊婦健診や、1歳6か月児健診、3歳児健診など乳幼児に対する健診は、市町村が実施主体となって行われる。 ✕

A 381 第15条の規定である。さらに第16条では、「市町村は、妊娠の届出をした者に対して、母子健康手帳を交付しなければならない」と規定している。 〇

A 382 市町村は、出産後1年を経過しない女子及び乳児に対して産後ケア事業を行うよう努めなければならないことが「母子保健法」に規定されている。 ✕

A 383 「母子保健法」に、医師、保健師、助産師、その他の職員が行うことができると規定されている。 〇

A 384 未熟児養育医療は、出生時体重が2,000g以下の1歳未満児を対象として行われる。 ✕

A 385 出生時の体重が2,500g未満の乳児を低（出生）体重児といい、保護者は速やかに市町村に届け出なければならない。 〇

8 児童虐待対策

Q 386 2000（平成12）年施行の「児童虐待の防止等に関する法律」が制定される以前に、わが国には児童虐待に関する法律は存在しなかった。

Q 387 「児童虐待の防止等に関する法律」では、法の目的として「児童の安全の擁護に資すること」を掲げている。

Q 388 児童虐待には、保護者以外の同居人によるものも含まれる。

Q 389 「令和３年度福祉行政報告例」によると、児童相談所が対応した養護相談のうち、児童虐待で最も多いのはネグレクトによるものである。 統計

Q 390 都道府県知事は、児童虐待が行われているおそれがあると認めるときは、当該児童の保護者に対し、当該児童を同伴して面会することを求め、児童委員または児童の福祉に関する事務に従事する職員をして、必要な調査または質問をさせることができる。

Q 391 「児童福祉法」では、里親が委託児童に対して行う虐待を被措置児童等虐待に含めていない。 児福

Q 392 「児童虐待の防止等に関する法律」では、親権者がしつけに際して体罰を行うことを禁止している。

A 386 1933（昭和8）年に「児童虐待防止法」が施行されたが、1947（昭和22）年の「児童福祉法」制定時に一つにまとめられ廃止された。　×

A 387 「児童虐待の防止等に関する法律」では、法の目的として「児童の権利利益の擁護に資すること」を掲げている。　×

A 388 保護者、保護者以外の同居人が児童に対して行う虐待を児童虐待としている。　○

A 389 「令和3年度福祉行政報告例」によると、児童虐待のうち最も多いのは心理的虐待で、その次が身体的虐待である。次いでネグレクト、性的虐待である。　×

A 390 都道府県知事は、児童虐待が行われているおそれがあると認めるときは、当該児童の保護者に対し、当該児童を同伴して出頭することを求め、児童委員または児童の福祉に関する事務に従事する職員をして、必要な調査または質問をさせることができる。　×

A 391 第33条の10で、里親若しくはその同居人による虐待も被措置児童等虐待に含めている。　×

A 392 2019（令和元）年の改正によって、親権者がしつけに際して体罰を行うことが禁止された。また、「児童福祉法」も改正され、児童相談所長、児童福祉施設の長等による体罰も禁止された。　○

Q 393 「母子及び父子並びに寡婦福祉法」では、母子家庭の母、父子家庭の父、寡婦に自立のための努力を求めている。

Q 394 母子・父子自立支援員の業務として、母子家庭の母親や父子家庭の父親、寡婦に対する自立に必要な情報提供及び指導がある。

Q 395 「ひとり親家庭等の支援について（令和6年）」によると、日本のひとり親家庭の親の就業率は、OECD加盟国のひとり親家庭の親の平均就業率と比較して高い。 統計

Q 396 「令和3年度福祉行政報告例の概況」によると、母子家庭の児童扶養手当の受給原因として最も多いのは、離婚である。 統計

Q 397 日常生活支援事業は、母子家庭のみが利用できる事業である。

Q 398 母子生活支援施設へ入所できるのは、離別した母子家庭である。

Q 399 自立に効果的な資格を取得するために2年以上養成機関等に就学する場合に、自立支援教育訓練給付金が支給される。

Q 400 児童手当を受給している場合、児童扶養手当を受給することはできない。

A 393 母子家庭の母、父子家庭の父及び寡婦は、<u>自ら</u><u>進んで</u>その<u>自立</u>を図り、家庭生活及び職業生活の安定と向上に努めなければならない、と規定している。 ○

A 394 母子・父子自立支援員の業務には、母子家庭の母親や父子家庭の父親、寡婦に対する自立に必要な<u>情報提供及び指導</u>、職業能力の向上及び<u>求職活動</u>に関する支援がある。 ○

A 395 OECD平均は<u>72.0%</u>、令和3年度全国ひとり親世帯等調査において、日本の母子家庭は<u>86.3%</u>、父子家庭は<u>88.1%</u>が就労している。OECD平均より高い。 ○

A 396 母子家庭の児童扶養手当の受給原因は<u>離婚</u>が最も多く、2021（令和3）年度末で<u>78.4%</u>を占めている。 ○

A 397 日常生活支援事業は、<u>母子家庭及び父子家庭</u>、寡婦を対象として家庭生活支援員を派遣する事業である。 ×

A 398 夫から受けたDVからの逃避や消費者金融の取立てからの逃避など<u>緊急度の高い</u>事例でも入所できる。 ×

A 399 <u>資格</u>取得のためには、母子家庭・父子家庭<u>高等</u><u>職業訓練促進給付金</u>が支給される。 ×

A 400 児童扶養手当の支給要件を満たせば、児童手当と児童扶養手当の<u>両方を受給</u>することができる。 ×

子ども家庭福祉

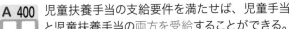

Q 401 乳児院には、心理療法担当職員が置かれる。 基準

Q 402 福祉型障害児入所施設には、必ず看護職員が配置されている。 基準

Q 403 児童福祉司は、社会福祉士か公認心理師資格を所持していなければならない。

Q 404 家庭支援専門相談員は、母子生活支援センターに必置の職員である。 基準

Q 405 児童自立支援施設には、通常の嘱託医のほか精神科診療に相当の経験を有する医師が配置されるが、精神科診療に相当の経験を有する医師は嘱託医であってはならない。 基準

Q 406 児童家庭支援センターには、相談・支援を担当する職員、心理療法等を担当する職員が配置される。

Q 407 母子支援員の配置が義務づけられている施設は、児童養護施設、乳児院である。 基準

Q 408 児童福祉司の主な業務として、子どもや保護者等が置かれている環境、問題と環境の関連、社会資源の活用の可能性等を明確にし、援助の必要性を判断する社会診断がある。

A 401 乳児院、母子生活支援施設、児童養護施設、児童自立支援施設には心理療法を必要とする入所者の人数で配置される。児童心理治療施設には入所者の人数にかかわらず必置である。 ○

A 402 主として知的障害児や盲ろうあ児を入所させる施設には看護職員を配置しなくてよい。 ✕

A 403 児童福祉司の任用資格は、社会福祉士、公認心理師のほか、医師、精神保健福祉士等がある。社会福祉士と公認心理師だけではない。 ✕

A 404 家庭支援専門相談員は、乳児院、児童養護施設、児童心理治療施設、児童自立支援施設に必置の職員である。 ✕

A 405 精神科診療に相当の経験を有する医師も嘱託医であって構わない。通常の嘱託医のほかに、精神科診療に相当の経験を有する医師または嘱託医を配置すると規定されている。 ✕

A 406 児童家庭支援センターでは、相談・支援を担当する職員2名、心理療法等を担当する職員1名が配置される(必置ではない)。 ○

A 407 母子支援員は、母子生活支援施設に配置が義務づけられている職員である。 ✕

A 408 児童福祉司は、担当区域の子どもや保護者、関係者からの子どもの福祉に関する相談に応じ、必要な支援、指導を行う。調査や社会診断も児童福祉司の業務である。 ○

子ども家庭福祉

事例問題 トレーニング ❶

次の文は、ある保育所における【事例】である。

【事例】

　5歳児のMちゃんは、両親ともにフルタイムで働いている。最近、Mちゃんが保育所を休みがちなため、担当保育士が主任保育士に相談したところ、通所してきた日に母親に様子を聞いてみてはどうかと助言を受けた。「ゆっくりお話を聞きたいのですが」と問いかけると、母親は応じた。母親の話によると、Mちゃんの父親が勤めている会社が倒産して家にいることが多くなり、イライラするのか、ときおり怒声を浴びせることがある。また、母親やMちゃんが外出することを嫌うようになっており、このためにMちゃんを保育所に連れてきにくくなっている。母親も欠勤が続き、仕事先から退職してほしいと言われているとのことであった。

問題

この事例において、適切な対応を○、不適切な対応を✕として答えなさい。

Q409　このような父親の態度は虐待に当たるので、保育士の判断だけですぐに児童相談所に通報した。

Q410　母親に対して、Mちゃんを連れてすぐに家を出るべきだと伝えた。

Q411　このままではMちゃん家族が無収入になってしまうと判断し、主任保育士に対応方法を相談した。

Q412　父親とも面談してみたいと思い、母親に二人で保育所に来るように伝えた。

Q413　保育士の判断で母親の勤務先に連絡して事情を話し、退職させないように依頼する。

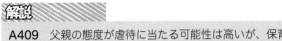

A409 父親の態度が虐待に当たる可能性は高いが、保育士 ×
の判断だけですぐに児童相談所に通報することは不
適切である。まず、施設長や主任保育士に報告し、対
応方法を検討することが必要である。

A410 家を出るということは、そのあとの生活なども考え ×
なければならず、安易に言うことではない。Mちゃん
の母親に対する助言としては適切ではない。

A411 母親も退職を伝えられており、無収入になる可能性 ○
がある。自分だけで判断せずに主任保育士に対応方法
を相談するのは適切である。

A412 母親とMちゃんが家を出ることを嫌っている父親 ×
と一緒に来るように伝えるのは適切ではない。施設長
や主任保育士から父親に連絡してもらい、父親が了解
した場合には父親と母親同席で面談することが適切
である。もし、父親が了解しない場合には、別の方法
を考えることが大切である。

A413 保育士が、母親の勤務先に連絡して事情を伝えるこ ×
とは、守秘義務に違反する。母親自身が勤務先に相談
することが必要である。

子ども家庭福祉

働きかけによって生じうる家庭への影響などを考慮したうえ
で、保育士の判断だけで行ってよいことなのか、施設長や主
任保育士に相談・報告すべきことなのかという点がポイント
です。

事例問題 トレーニング ❷

次の文は、ある保育所における【事例】である。

【事例】

Z保育所では、週に1回園庭開放や子育て相談を実施している。毎回、数組の親子が園庭開放を利用している。そこに母親のXさんと子どもY君（1歳6か月）がやってきた。Xさん親子は、これまで数回園庭開放を利用している。担当のW保育士は、Xさんの暗い表情や他の親子と全く関わりがないことが気になっていた。

ある日、W保育士がXさんに声をかけ、話を始めた。子育てのことに話が及ぶと、「Yが泣くとイライラして怒鳴ってしまう。それが毎日続き、いつか手をあげそうです。」と声を詰まらせた。落ち着いたところで、詳しく話を聞くと次のことが分かった。

・夫の転勤でV市に引っ越してきたばかりで、知り合いが誰もいない。

・夫は仕事のため帰宅が遅い。Xさんは専業主婦である。

・Z保育所の園庭開放以外の社会資源は利用していない。

・子どもとの関わり方がよく分からず、迷ったり、戸惑ったりすることが多い。そのためイライラして、Y君に怒鳴ってしまう。

問題

Z保育所の園庭開放以外で、W保育士がXさんに利用を勧める事業として、適切なものを○、不適切なものを×として答えなさい。児福

Q414 家庭的保育事業

Q415 児童発達支援

Q416 小規模保育事業

Q417 地域子育て支援拠点事業

Q418 乳児家庭全戸訪問事業

A414 家庭的保育事業は、子ども・子育て支援新制度の地 ×
域型保育事業の一つとして実施されている。対象児童
は、保育を必要とする満3歳未満で、家庭での保育を
受けることが困難な子どもである。Xさんは家庭で保
育を行える状況であり、利用を勧める事業として適切
ではない。

A415 児童発達支援は、障害のある子どもを児童発達支援 ×
センターなどに通わせて、日常生活における基本的動
作および、知識技能の習得、集団生活への適応のため
の支援、肢体不自由児への治療などを行うものである。
利用を勧める事業として適切ではない。

A416 小規模保育事業は、保育を必要とする満3歳未満の ×
子どもを保育することを目的とする施設で、利用定員
が6人以上19人以下のものである。Xさんは家庭で保
育を行える状況であり、利用を勧める事業として適切
ではない。

A417 地域子育て支援拠点事業は、子ども・子育て支援新 ○
制度の地域子ども・子育て支援事業の一つとして実施
されている。地域の子育て家庭の親子の交流促進、不
安感などの緩和、子どもの健全育成促進などを目的と
している。引っ越してきたばかりで知り合いがいない、
子どもとの関わり方がよくわからないなどの状況にある
場合、利用を勧める事業として適切である。

A418 乳児家庭全戸訪問事業は、生後4か月までの乳児が ×
いる家庭を保健師等が訪問して子育てに関する情報提
供、乳児と保護者の心身の状況・養育環境の把握、養
育相談などを行う。Y君は1歳6か月で対象ではないた
め、利用を勧める事業として適切ではない。

子ども家庭福祉

Point **13** 児童の権利の歴史

◎ 子どもは保護の対象から権利主体に

20世紀に入るとスウェーデンの女性思想家**エレン・ケイ**や、フランスの心理学者**ワロン**の主張などが世界に広がり、**子どもは権利の主体**であるという考え方が発展しました。

● 子どもの権利に関する宣言・条約

1909年	第一回白亜館（ホワイトハウス）会議開催。米・ルーズベルト大統領が「家庭は、文明の最高の創造物」と家庭の重要性を強調
1924年	「ジュネーブ宣言（ジュネーブ児童権利宣言）」を第一次世界大戦後の国際連盟で採択。児童の最善の利益を保障すべきことを宣言
1948年	「世界人権宣言」を第二次世界大戦後、国際連合で採択。子どもの生活の保障や教育の権利を含む
1959年	「児童権利宣言」を国連総会で採択。前文に、「人類は、児童に対し、最善のものを与える義務を負う」とうたい、子どもの人権の保障に加え、発達権、幸福追求権、教育権などを掲示
1966年	「国際人権規約」を国連総会で採択。1976年発効
1989年	「児童の権利に関する条約（子どもの権利条約）」を国連総会で採択。日本の批准は、1994（平成6）年

◎「子どもの権利条約」の4つの柱

「子どもの権利条約」では、18歳未満の子どもたちに、「**生きる権利**」、「**守られる権利**」、「**育つ権利**」（教育を受け、人間的に成長する権利）、「**参加する権利**」という4つの権利を認めています。

得点UPの🔑 　**「子どもの権利条約」の3つの選択議定書**

①武力紛争から子どもを守るための議定書　②人身売買やポルノから子どもを守るための議定書は多くの国が批准している。一方③国内で救済されない**人権侵害**を国連子どもの権利委員会に救済申し立てをできるようにするための議定書。（③は2014年4月発効のため日本を含め多くの国々がまだ批准していない状況である）

◎「児童福祉六法」とは

① 「児童福祉法」1947（昭和22）年制定
② 「児童扶養手当法」1961（昭和36）年制定
③ 「特別児童扶養手当等の支給に関する法律」1964（昭和39）年制定
④ 「母子及び父子並びに寡婦福祉法」1964（昭和39）年制定
⑤ 「母子保健法」1965（昭和40）年制定
⑥ 「児童手当法」1971（昭和46）年制定

　の６つを「児童福祉六法」と総称します。

●「児童福祉法」の主な改正

1997（平成9）年	保育所の入所は措置決定から選択利用に。母子寮は母子生活支援施設に
2001（平成13）年	保育士の資格が任用資格から国家資格に
2004（平成16）年	児童養護施設などの業務に、退所者への「相談その他の援助」を追加。里親の監護・教育・懲戒権の権限の明確化
2008（平成20）年	乳児家庭全戸訪問事業、養育支援訪問事業、一時預かり事業、家庭的保育事業などを法律上に位置づけ
2012（平成24）年	障害児を対象とする施設を「児童福祉法」で一本化
2016（平成28）年	第1章総則第1～3条の改正。情緒障害児短期治療施設の改称・目的変更。里親の定義の改正
2019（令和元）年	児童相談所長、児童福祉施設長、小規模住居型児童養育事業の養育者、里親の体罰が禁止に
2022（令和4）年	児童福祉施設長等が児童の年齢・発達の程度に配慮しなければならないこととされた。保育士が児童にわいせつ行為を行った場合の資格管理等が厳格化された

子ども家庭福祉

◎「母子及び父子並びに寡婦福祉法」とは

　配偶者と死別した女性や、20歳未満の児童がいる母子・父子家庭に対し、「その生活の安定と向上のために必要な措置を講じ、もつて母子家庭等及び寡婦の福祉を図ること」（第1条）を目的とします。

◎「母子保健法」とは

　「母性並びに乳児及び幼児の健康の保持及び増進を図るため、母子保健に関する原理を明らかにするとともに、母性並びに乳児及び幼児に対する保健指導、健康診査、医療その他の措置を講じ、もつて国民保健の向上に寄与することを目的」として制定されました。

　児童相談所は、「児童福祉法」に基づく行政機関であり、児童に関するさまざまな問題について、家庭やその他からの相談に応じ、指導するだけではなく、福祉の措置を決定する行政的な権限をもっています。

◎ 児童相談所の設置（「児童福祉法」）

①都道府県（設置義務）
②指定都市（設置義務）
③指定都市以外の個別に政令で指定する市（児童相談所設置市〔現在は横須賀市、金沢市、明石市、奈良市、港区、中野区、豊島区、世田谷区、荒川区、板橋区、江戸川区、葛飾区（令和6年10月に品川区が追加される）〕）

● 児童相談所の業務内容

- ● 相談…家庭からの相談（主に養護、障害、非行、育成）に応じ、地域住民や関係機関からの通告、福祉事務所・家庭裁判所・警察官からの送致を受ける
- ● 調査…子どもや家庭の状況を把握
- ● 診断…①社会診断→児童福祉司
　　　　　②心理診断→児童心理司
　　　　　③医学診断→医師（精神科医、小児科医など）
　　　　　④行動診断→児童指導員、保育士
　　　　　⑤その他の診断→理学療法士など
- ● 判定…子どもの特性、家庭、来談者の問題解決能力などを考慮する。援助指針の作成
- ● 指導…カウンセリング、心理療法、ソーシャルワーク等による指導
- ● 措置等…児童福祉施設（乳児院、児童養護施設など）への入所措置など
- ● 一時保護…児童虐待、家出などの理由で、緊急に児童の保護が必要と児童相談所長または都道府県知事が認めた場合など

● 措置の対象となる児童福祉施設

乳児院	児童養護施設	障害児入所施設*

児童発達支援センター*	児童心理治療施設	児童自立支援施設

*のついている施設については、入所・利用決定後、保護者と施設が直接利用契約を結ぶ（一部措置がとられる場合もある）

児童虐待の防止等に関する法律

◎ 児童虐待とは

保護者（親権を行う者、未成年後見人その他の者で、児童を現に監護するもの）がその監護する児童に行う次の行為をいいます。（「児童虐待の防止等に関する法律」第2条）

①身体的虐待……生命・健康に危険のある身体的な暴行

②性的虐待……性交、性的暴行、性的行為の強要

③ネグレクト……保護の怠慢や拒否により健康状態や安全を損なう行為

④心理的虐待……暴言や無視したり拒否的な態度などで心を傷つける行為

●「児童虐待の防止等に関する法律」のポイント

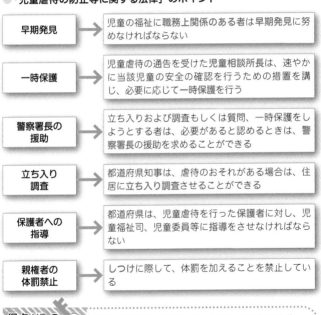

早期発見	→	児童の福祉に職務上関係のある者は早期発見に努めなければならない
一時保護	→	児童虐待の通告を受けた児童相談所長は、速やかに当該児童の安全の確認を行うための措置を講じ、必要に応じて一時保護を行う
警察署長の援助	→	立ち入りおよび調査もしくは質問、一時保護をしようとする者は、必要があると認めるときは、警察署長の援助を求めることができる
立ち入り調査	→	都道府県知事は、虐待のおそれがある場合は、住居に立ち入り調査させることができる
保護者への指導	→	都道府県は、児童虐待を行った保護者に対し、児童福祉司、児童委員等に指導をさせなければならない
親権者の体罰禁止	→	しつけに際して、体罰を加えることを禁止している

子ども家庭福祉

得点 UP の 🔑 児童相談所の相談件数（福祉行政報告例）

全国の児童相談所が対応した児童虐待に関する相談件数は、統計を取り始めた1990（平成2）年度（1,101件）から2021（令和3）年度までで約189倍に急増している。2021（令和3）年度の件数は、20万7,660件（確定値）である。

社会福祉

1 社会福祉とその対象

Q 419 ウェルフェアは、個人の権利や自己実現が保障され、その個人が身体的・精神的・社会的により良い状態にあることを意味するとされている。

Q 420 保護者の養育を支援することが特に必要と認められる要支援児童は、子ども家庭福祉の対象ではない。

Q 421 社会福祉における自立支援は、障害者福祉に限定された理念である。

Q 422 社会福祉における社会資源とは、社会福祉制度あるいは公的な福祉サービスを意味し、家族による支援などは含まれない。

Q 423 バリアフリーの考え方の原点は、生活環境、移動や交通、住環境の改善などを目指すことにあった。

Q 424 ソーシャル・インクルージョンは、ノーマライゼーションの考え方とも共通する社会福祉の理念としても用いられる。

Q 425 エンパワメント・アプローチという用語は、利用者のもっている力を引き出すための支援という意味である。

わが国の社会福祉について体系的に理解しておくことが大切です。
社会福祉関連の法律についても基本を確認しておきましょう。

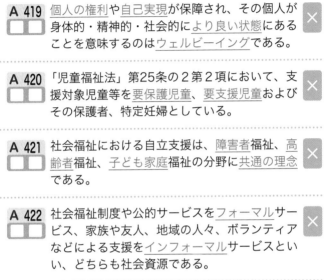

A 419 個人の権利や自己実現が保障され、その個人が
身体的・精神的・社会的により良い状態にある
ことを意味するのはウェルビーイングである。 ×

A 420 「児童福祉法」第25条の２第２項において、支
援対象児童等を要保護児童、要支援児童および
その保護者、特定妊婦としている。 ×

A 421 社会福祉における自立支援は、障害者福祉、高
齢者福祉、子ども家庭福祉の分野に共通の理念
である。 ×

A 422 社会福祉制度や公的サービスをフォーマルサー
ビス、家族や友人、地域の人々、ボランティア
などによる支援をインフォーマルサービスとい
い、どちらも社会資源である。 ×

A 423 現在では、バリアフリーの考え方は障害のある
人とない人との間にある偏見や心の壁を取り除
く視点を含むものに変化してきている。 〇

A 424 ノーマライゼーションの思想とも共通し、社会
福祉の理念としても用いられる場合、全ての人
がそれぞれの違いを尊重され、社会の一員とし
て認められ、人権を保障されることも意味する。 〇

A 425 利用者が本来もっている力を引き出し、さまざ
まな判断や決定ができるよう成長、変化を促す
という意味をもつ。 〇

社会福祉

2 社会福祉の歴史

Q 426 「ベヴァリッジ報告」によって、貧困を生み出す要因に対して、新たな社会保障システムが打ち出された。

Q 427 ケースワークの源流は、チャルマーズの隣友運動とロンドンの慈善組織協会（COS）の活動である。

Q 428 「エリザベス救貧法」を『人口論』で批判したのは、ベヴァリッジである。 人物

Q 429 「新救貧法」で打ち出されたのは、均一処遇の原則、院外保護の原則、劣等処遇の原則である。

Q 430 「日本国憲法」第25条は、日本の社会福祉に関する法制度に影響を与えている。

Q 431 方面委員制度は、岡山県知事の笠井信一が創案したものである。 人物

Q 432 「救護法」では、4つの公的扶助が規定されたが、対象者が限定された。

Q 433 ブースによる貧困調査では、貧困の原因は個人の責任であるとした。

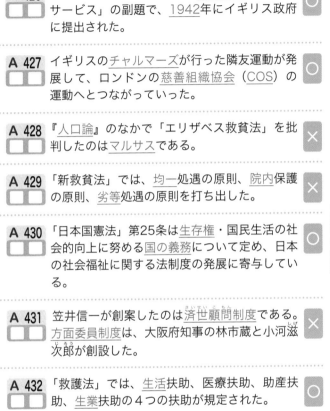

A 426 「ベヴァリッジ報告」は、「社会保険及び関連サービス」の副題で、1942年にイギリス政府に提出された。 ○

A 427 イギリスのチャルマーズが行った隣友運動が発展して、ロンドンの慈善組織協会（COS）の運動へとつながっていった。 ○

A 428 『人口論』のなかで「エリザベス救貧法」を批判したのはマルサスである。 ×

A 429 「新救貧法」では、均一処遇の原則、院内保護の原則、劣等処遇の原則を打ち出した。 ×

A 430 「日本国憲法」第25条は生存権・国民生活の社会的向上に努める国の義務について定め、日本の社会福祉に関する法制度の発展に寄与している。 ○

A 431 笠井信一が創案したのは済世顧問制度である。方面委員制度は、大阪府知事の林市蔵と小河滋次郎が創設した。 ×

A 432 「救護法」では、生活扶助、医療扶助、助産扶助、生業扶助の4つの扶助が規定された。 ○

A 433 ブースによる貧困調査では、貧困の原因は個人ではなく社会の責任であるとした。 ×

社会福祉

3 社会福祉の法と制度

Q 434 「社会福祉法」では、社会福祉を目的とする事業の全分野における共通的基本事項などを規定している。

Q 435 第一種社会福祉事業は、原則として国、地方公共団体、社会福祉法人が経営するとされている。

Q 436 社会福祉法人は、公益・収益事業の両方を行うことができる。

Q 437 「社会福祉法」では、福祉事務所の設置について規定している。

Q 438 介護保険制度の保険者は、市町村および特別区である。

Q 439 要介護認定は「老人福祉法」に基づいて行われる。

Q 440 「介護保険法」では、法の対象となる者の尊厳の保持についてはふれていない。

Q 441 介護保険の第1号被保険者とは、40歳以上65歳未満の医療保険加入者をいう。

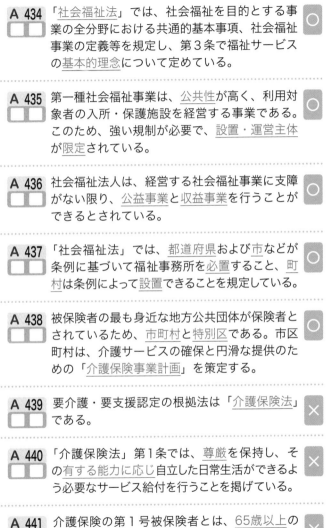

A 434 「社会福祉法」では、社会福祉を目的とする事業の全分野における共通的基本事項、社会福祉事業の定義等を規定し、第3条で福祉サービスの基本的理念について定めている。 ○

A 435 第一種社会福祉事業は、公共性が高く、利用対象者の入所・保護施設を経営する事業である。このため、強い規制が必要で、設置・運営主体が限定されている。 ○

A 436 社会福祉法人は、経営する社会福祉事業に支障がない限り、公益事業と収益事業を行うことができるとされている。 ○

A 437 「社会福祉法」では、都道府県および市などが条例に基づいて福祉事務所を必置すること、町村は条例によって設置できることを規定している。 ○

A 438 被保険者の最も身近な地方公共団体が保険者とされているため、市町村と特別区である。市区町村は、介護サービスの確保と円滑な提供のための「介護保険事業計画」を策定する。 ○

A 439 要介護・要支援認定の根拠法は「介護保険法」である。 ✕

A 440 「介護保険法」第1条では、尊厳を保持し、その有する能力に応じ自立した日常生活ができるよう必要なサービス給付を行うことを掲げている。 ✕

A 441 介護保険の第1号被保険者とは、65歳以上の者をいう。40歳以上65歳未満の医療保険加入者は第2号被保険者である。 ✕

社会福祉

Q 442 「生活保護法」では、原則として、保護は他の法律の扶助に優先して行われるとしている。

Q 443 地域支援事業は、「老人福祉法」に基づく事業として行われている。

Q 444 介護予防サービス計画の作成は、地域包括支援センターが行う。

Q 445 65歳以上になると、申請することなくすべての人が介護サービスの提供を受けることができる。

Q 446 特別養護老人ホーム、養護老人ホーム、軽費老人ホームは「老人福祉法」に基づく老人福祉施設である。

Q 447 介護保険制度では、行政が利用の可否や利用サービスの種類を決定する措置制度がとられている。

Q 448 共同募金に関する基本的な事項は、「共同募金法」に規定されている。

Q 449 「歳末たすけあい運動」は、共同募金とは異なる募金である。

Q 450 共同募金に寄せられた寄付金は、共同募金会に設置されている配分委員会の承認を得て公正に配分される。

A 442 保護は、<u>他の法律に定める扶助が優先</u>して行われる。また、「民法」に定める<u>扶養義務者の扶養</u>が優先して行われる。 ✕

A 443 <u>地域支援事業</u>は、「<u>介護保険法</u>」に基づく事業として行われ、必須事業と任意事業がある。 ✕

A 444 <u>地域包括</u>支援センターは、介護<u>予防</u>にかかる業務を行う機関である。権利擁護、相談支援などの業務も行う。 ◯

A 445 介護サービスの提供を受けるためには、認定申請を行い、要<u>介護</u>・要<u>支援</u>認定を受けなければならない。 ✕

A 446 いずれも「<u>老人福祉法</u>」に基づく老人福祉施設である。なお、特別養護老人ホームについては、認可を受けていれば「介護保険法」に基づく<u>介護老人福祉施設</u>でもある。 ◯

A 447 介護保険制度では、介護認定を受けた後、利用者が利用するサービスを選択し、サービス提供事業者と直接<u>契約</u>を結ぶ方式がとられている。 ✕

A 448 共同募金、共同募金会に関する基本的な事項は「<u>社会福祉法</u>」に規定されている。共同募金は<u>第一種</u>社会福祉事業である。 ✕

A 449 「歳末たすけあい運動」は、毎年12月に<u>共同募金の一環</u>として実施されている。 ✕

A 450 共同募金に寄せられた寄付金は<u>社会福祉事業経営者</u>に配分されるが、<u>配分委員会</u>の承認を得なければならない。 ◯

社会福祉

Q 451 「障害者基本法」では、自立支援給付について規定している。

Q 452 国際生活機能分類では、障害を3つのレベルでみながら、背景因子などと双方向の関係概念としてとらえている。

Q 453 「発達障害者支援法」では、発達障害のなかに学習障害も含めている。

Q 454 生活保護を開始する前には、資産や所得の状況を確認するための資産調査が実施される。

Q 455 心身に障害があるために自分一人では日常生活を営めない生活保護要保護者を入所させる施設は、更生施設である。

Q 456 「生活保護法」では「社会福祉法の理念に基き、国が生活に困窮するすべての国民に対し、その困窮の程度に応じ、必要な保護を行い、その最低限度の生活を保障する」としている。

Q 457 寡婦とは、母子家庭の母親をいう。

Q 458 「母子及び父子並びに寡婦福祉法」では、ひとり親家庭の児童が、その環境に関係なく、心身ともに健やかに育成されるために必要な諸条件が保障されている。

A 451 自立支援給付について規定しているのは、「障害者総合支援法」である。 ✕

A 452 国際生活機能分類では、背景因子に環境因子や個人因子が含まれている。 ○

A 453 「発達障害者支援法」では、自閉症、アスペルガー症候群その他の広汎性発達障害、学習障害、注意欠陥多動性障害その他これに類する脳機能の障害であってその症状が通常低年齢において発現するもの、と規定している。 ○

A 454 最低限度の生活を維持するため活用できる資産や所得などの状態を確認することを資産調査あるいはミーンズテストという。 ○

A 455 心身に障害があり日常生活を自分一人で行えない者を入所させるのは救護施設である。心身に障害があり養護や生活指導を必要とする生活保護要保護者を入所させるのが更生施設である。 ✕

A 456 「生活保護法」第1条では「日本国憲法第25条に規定する理念に基き」としている。すべての国民は「生活保護法」によって最低限度の生活を保障されている。 ✕

A 457 「母子及び父子並びに寡婦福祉法」において寡婦とは、配偶者のない女子で、以前に母子家庭の母親として児童を扶養していたことがある者をいう。 ✕

A 458 心身ともに健やかに育成されるために必要な諸条件と、母子家庭の母、父子家庭の父の健康で文化的な生活が保障されると規定されている。 ○

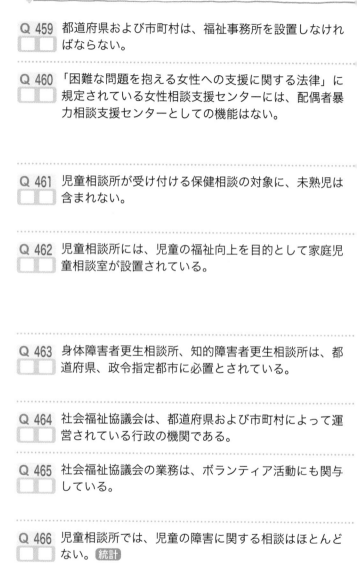

4 社会福祉行政

Q 459 都道府県および市町村は、福祉事務所を設置しなければならない。

Q 460 「困難な問題を抱える女性への支援に関する法律」に規定されている女性相談支援センターには、配偶者暴力相談支援センターとしての機能はない。

Q 461 児童相談所が受け付ける保健相談の対象に、未熟児は含まれない。

Q 462 児童相談所には、児童の福祉向上を目的として家庭児童相談室が設置されている。

Q 463 身体障害者更生相談所、知的障害者更生相談所は、都道府県、政令指定都市に必置とされている。

Q 464 社会福祉協議会は、都道府県および市町村によって運営されている行政の機関である。

Q 465 社会福祉協議会の業務は、ボランティア活動にも関与している。

Q 466 児童相談所では、児童の障害に関する相談はほとんどない。 統計

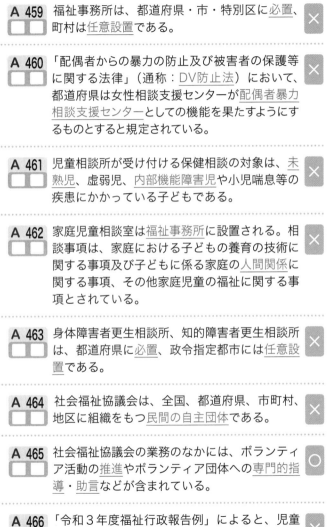

A 459 福祉事務所は、都道府県・市・特別区に必置、町村は任意設置である。 ✕

A 460 「配偶者からの暴力の防止及び被害者の保護等に関する法律」（通称：DV防止法）において、都道府県は女性相談支援センターが配偶者暴力相談支援センターとしての機能を果たすようにするものとすると規定されている。 ✕

A 461 児童相談所が受け付ける保健相談の対象は、未熟児、虚弱児、内部機能障害児や小児喘息等の疾患にかかっている子どもである。 ✕

A 462 家庭児童相談室は福祉事務所に設置される。相談事項は、家庭における子どもの養育の技術に関する事項及び子どもに係る家庭の人間関係に関する事項、その他家庭児童の福祉に関する事項とされている。 ✕

A 463 身体障害者更生相談所、知的障害者更生相談所は、都道府県に必置、政令指定都市には任意設置である。 ✕

A 464 社会福祉協議会は、全国、都道府県、市町村、地区に組織をもつ民間の自主団体である。 ✕

A 465 社会福祉協議会の業務のなかには、ボランティア活動の推進やボランティア団体への専門的指導・助言などが含まれている。 ○

A 466 「令和3年度福祉行政報告例」によると、児童相談所では、養護相談の割合が49.5%、障害相談が35.6%である。 ✕

社会福祉

5 社会保障制度

Q 467 わが国の国民は、すべて何らかの医療保険に加入している。

Q 468 健康保険の保険給付には、療養の給付、出産育児一時金等がある。

Q 469 公務員は、国民健康保険に加入する。

Q 470 厚生年金加入者は、サラリーマンのみである。

Q 471 国民年金の給付には、老齢基礎年金、障害基礎年金、遺族基礎年金がある。

Q 472 国民年金制度の被保険者は、18歳以上65歳未満の者である。

Q 473 国民年金の第2号被保険者の被扶養配偶者は、第1号被保険者である。

Q 474 わが国の社会保障の目的は、「広く国民に安定した生活を保障するもの」から、近年、「生活の最低限度の保障」へと変わってきた。

A 467 国民のすべてが何らかの医療保険に加入することを<u>国民皆保険制度</u>という。 〇

A 468 <u>健康保険</u>は<u>医療保険</u>の一つで、医療機関で診察を受けられる療養の給付や出産育児一時金等がある。 〇

A 469 公務員が加入する医療保険は、<u>共済組合</u>である。国民健康保険は、<u>自営業者</u>などが加入する医療保険である。 ✕

A 470 2015（平成27）年10月から、<u>厚生</u>年金に<u>共済</u>年金が統合され、加入者はサラリーマンと公務員などとされた。 ✕

A 471 <u>老齢基礎年金</u>は原則として65歳から、<u>障害基礎年金</u>は障害を負った時点で、給付要件を満たしている場合に支給される。<u>遺族基礎年金</u>は、18歳（障害がある場合には20歳）未満の子のある配偶者あるいは18歳未満の子に支給される。 〇

A 472 国民年金制度の被保険者は、<u>20歳以上60歳未満</u>の者である。<u>40年間</u>の全期間、保険料を納付することが、国民年金を満額受給する条件である。 ✕

A 473 第2号被保険者は、サラリーマンや公務員である。第2号被保険者の被扶養配偶者は、<u>第3号被保険者</u>である。 ✕

A 474 わが国の社会保障の目的は、「<u>生活の最低限度の保障</u>」から、「広く国民に<u>安定した生活を保障</u>するもの」へと変化している。 ✕

Q 475 労働者災害補償保険の業務災害に関する保険給付には、療養補償給付、休業補償給付、障害補償給付等がある。

Q 476 育児休業給付、介護休業給付は、医療保険制度によって支給される。

Q 477 医療保険は、高齢・障害・死亡等による長期的な所得損失に対する保険給付である。

Q 478 健康保険の保険者は、市町村である。

Q 479 労働者災害補償保険制度は、正規雇用の職員にのみ適用される。

Q 480 「生活保護法」では、原則として、保護は、個人ではなく世帯を単位としてその要否及び程度を定めるとしている。

Q 481 「生活困窮者自立支援法」に基づいて、生活困窮者である子どもに対し学習の援助を行う事業が行われる。

Q 482 幼稚園の教育費は、生活保護の教育扶助の対象にはならない。

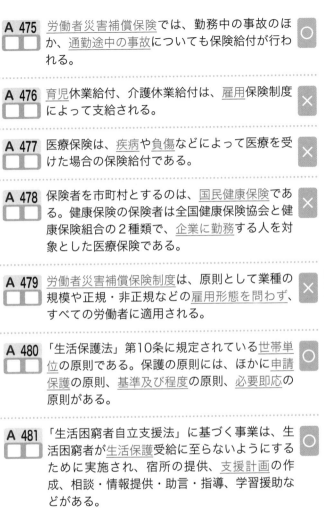

A 475 労働者災害補償保険では、勤務中の事故のほか、通勤途中の事故についても保険給付が行われる。 ○

A 476 育児休業給付、介護休業給付は、雇用保険制度によって支給される。 ×

A 477 医療保険は、疾病や負傷などによって医療を受けた場合の保険給付である。 ×

A 478 保険者を市町村とするのは、国民健康保険である。健康保険の保険者は全国健康保険協会と健康保険組合の2種類で、企業に勤務する人を対象とした医療保険である。 ×

A 479 労働者災害補償保険制度は、原則として業種の規模や正規・非正規などの雇用形態を問わず、すべての労働者に適用される。 ×

A 480 「生活保護法」第10条に規定されている世帯単位の原則である。保護の原則には、ほかに申請保護の原則、基準及び程度の原則、必要即応の原則がある。 ○

A 481 「生活困窮者自立支援法」に基づく事業は、生活困窮者が生活保護受給に至らないようにするために実施され、宿所の提供、支援計画の作成、相談・情報提供・助言・指導、学習援助などがある。 ○

A 482 生活保護の教育扶助は義務教育を対象とするため、幼稚園の教育費は対象とならない。 ○

社会福祉

6 子ども家庭福祉における第三者評価と苦情解決

Q 483 子ども家庭福祉分野の福祉サービス第三者評価事業では、民生委員・児童委員の評価を組み入れることとされている。

Q 484 乳児院は、第三者評価を受審することが義務づけられている。 基準

Q 485 社会的養護関係施設では、毎年第三者評価を受審しなければならない。

Q 486 児童福祉施設における苦情解決制度では、苦情の申し出者を保護者に限定している。 基準

Q 487 「社会福祉法」では、都道府県社会福祉協議会に運営適正化委員会を設置すると規定している。

Q 488 サービス提供者による苦情解決のしくみでは、苦情解決責任者がすべてを担当する。

Q 489 福祉サービス利用者は、都道府県や運営適正化委員会に直接苦情を申し出ることはできない。

Q 490 「児童福祉施設の設備及び運営に関する基準」では、児童福祉施設は苦情を受け付けるために必要な措置を講じなければならないと規定されている。 基準

A 483 第三者評価は第三者評価機関によって実施されるもので、民生委員や児童委員の評価は組み入れられていない。 ×

A 484 児童福祉施設のうち、乳児院、母子生活支援施設、児童養護施設、児童心理治療施設、児童自立支援施設、里親支援センターは第三者評価を受けなければならないことが「児童福祉施設の設備及び運営に関する基準」に規定されている。 ○

A 485 社会的養護関係施設では3年に1度第三者評価を受審し、その結果を公表しなければならない。 ×

A 486 「児童福祉施設の設備及び運営に関する基準」では、苦情への対応の中で、入所している者またはその保護者等としている。 ×

A 487 運営適正化委員会は、苦情を第三者の立場から適切に解決するために設置される機関で、都道府県社会福祉協議会に設置される。 ○

A 488 サービス提供者による苦情解決のしくみでは、苦情解決責任者と苦情受付担当者を置くとされている。 ×

A 489 福祉サービス利用者は、事業者のほか、都道府県や運営適正化委員会に直接苦情を申し出ることができる。 ×

A 490 入所者またはその保護者等からの苦情に迅速かつ適切に対応するために、苦情を受け付けるための窓口を設置する等の必要な措置を講じなければならないと規定されている。 ○

社会福祉

Q 491 児童福祉司は、児童相談所と福祉事務所に必置される職員である。[児福]

Q 492 「社会福祉法」では、都道府県、市及び福祉事務所を設置する町村に社会福祉主事を置くことを規定している。

Q 493 社会福祉士の資格を所持している者は、児童指導員として児童養護施設等で働くことができる。

Q 494 児童委員は、児童福祉司または福祉事務所の社会福祉主事の行う職務に協力する。

Q 495 肢体不自由児に対する治療を行わない児童発達支援センターにも、常勤の医師を配置しなければならない。

Q 496 介護支援専門員は「介護保険法」に基づく専門相談員で、介護保険施設に必ず配置されなければならないことが「介護保険法」に規定されている。

Q 497 保育士は、業務独占の国家資格である。[児福]

Q 498 家庭相談員は、児童相談所に設置されている家庭児童相談室において業務にあたる職員である。

Q 499 母子・父子自立支援員は、母子家庭、父子家庭、寡婦家庭の相談や指導、職業能力の向上と求職活動に関する支援等の業務を行っている。

A 491 児童福祉司は、児童相談所に必置される職員である。 ✕

A 492 社会福祉主事は、福祉事務所の現業職員（事務職を除く）として働くために必要な資格である。 〇

A 493 「児童福祉施設の設備及び運営に関する基準」において、児童指導員の資格要件の一つとして社会福祉士が規定されている。 〇

A 494 「児童福祉法」第17条において、児童福祉司または福祉事務所の社会福祉主事の行う職務に協力することが規定されている。 〇

A 495 肢体不自由児に対する治療を行わない児童発達支援センターには、嘱託医を配置するとされている。 ✕

A 496 介護支援専門員の介護保険施設への配置は、「指定居宅介護支援等の事業の人員及び運営に関する基準」に定められている。 ✕

A 497 保育士は「児童福祉法」に規定される国家資格であるが、名称独占である。 ✕

A 498 家庭相談員は、福祉事務所に設置されている家庭児童相談室で、家庭児童福祉に関わる相談・指導業務を行う職員である。 ✕

A 499 母子・父子自立支援員は、「母子及び父子並びに寡婦福祉法」に基づいて、福祉事務所に配置される職員である。 〇

Q 500 都道府県の身体障害者福祉司は、都道府県知事の命を受けて、身体障害者の福祉に関し専門的な知識及び技術を必要とする業務を行う。

Q 501 児童生活支援員は、保育士の資格を有する者もなることができる職種である。 基準

Q 502 知的障害者福祉司は、都道府県知事の認定を受けて、知的障害者を一定期間受け入れ、技能訓練や生活指導を行う。

Q 503 民生委員は「民生委員法」に規定される民間の福祉奉仕者である。

Q 504 民生委員の任期は、5年である。

Q 505 女性相談支援員は、女性相談支援センターまたは福祉事務所に配置される相談員である。

Q 506 児童福祉司の資格は、福祉事務所の職員として採用されるために必要な任用資格である。 児福

Q 507 母子生活支援施設で、入所している母子の生活支援を行う職員を母子相談員という。 基準

A 500 身体障害者福祉司は、身体障害者更生相談所の長の命を受けて、身体障害者の福祉に関し専門的な知識及び技術を必要とする業務を行う。 ✕

A 501 児童生活支援員は、児童自立支援施設に入所している児童の生活支援を行う職種である。保育士の資格を有する者などがなることができる。 ○

A 502 知的障害者福祉司は、知的障害者の援助について市町村への連絡調整、情報提供その他の援助および専門的技術が必要な業務を行う。 ✕

A 503 民生委員は、「民生委員法」に基づき、厚生労働大臣に委嘱されたボランティアである。また児童委員を兼務することが「児童福祉法」に規定されている。 ○

A 504 民生委員の任期は、3年とされている。また、給与は支給しないとされている。 ✕

A 505 女性相談支援員は、「困難な問題を抱える女性への支援に関する法律」に基づいて女性相談支援センターまたは福祉事務所に配置される職種である。 ○

A 506 福祉事務所の職員として採用されるのに必要な任用資格は、社会福祉主事である。児童福祉司は、児童相談所で業務にあたる際に必要な任用資格である。 ✕

A 507 母子生活支援施設で母子の生活支援にあたる職員は、母子支援員である。 ✕

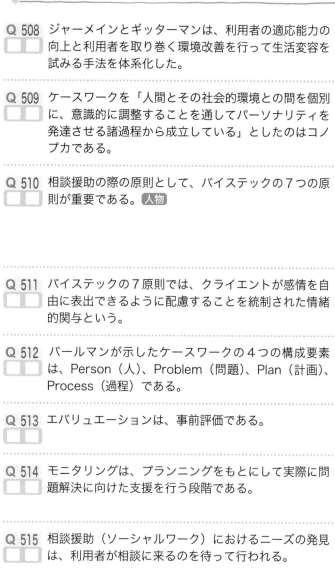

8 対人援助

Q 508 ジャーメインとギッターマンは、利用者の適応能力の向上と利用者を取り巻く環境改善を行って生活変容を試みる手法を体系化した。

Q 509 ケースワークを「人間とその社会的環境との間を個別に、意識的に調整することを通してパーソナリティを発達させる諸過程から成立している」としたのはコノプカである。

Q 510 相談援助の際の原則として、バイステックの7つの原則が重要である。 人物

Q 511 バイステックの7原則では、クライエントが感情を自由に表出できるように配慮することを統制された情緒的関与という。

Q 512 パールマンが示したケースワークの4つの構成要素は、Person（人）、Problem（問題）、Plan（計画）、Process（過程）である。

Q 513 エバリュエーションは、事前評価である。

Q 514 モニタリングは、プランニングをもとにして実際に問題解決に向けた支援を行う段階である。

Q 515 相談援助（ソーシャルワーク）におけるニーズの発見は、利用者が相談に来るのを待って行われる。

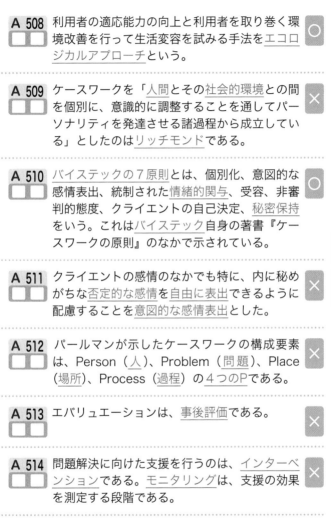

A 508 利用者の適応能力の向上と利用者を取り巻く環境改善を行って生活変容を試みる手法を<u>エコロジカルアプローチ</u>という。 ◯

A 509 ケースワークを「<u>人間</u>とその<u>社会的環境</u>との間を個別に、意識的に調整することを通してパーソナリティを発達させる諸過程から成立している」としたのは<u>リッチモンド</u>である。 ✕

A 510 <u>バイステックの7原則</u>とは、個別化、意図的な感情表出、統制された<u>情緒的関与</u>、受容、非審判的態度、クライエントの自己決定、<u>秘密保持</u>をいう。これは<u>バイステック</u>自身の著書『ケースワークの原則』のなかで示されている。 ◯

A 511 クライエントの感情のなかでも特に、内に秘めがちな<u>否定的な感情</u>を自由に表出できるように配慮することを<u>意図的な感情表出</u>とした。 ✕

A 512 パールマンが示したケースワークの構成要素は、Person（<u>人</u>）、Problem（<u>問題</u>）、Place（<u>場所</u>）、Process（<u>過程</u>）の4つのPである。 ✕

A 513 エバリュエーションは、<u>事後評価</u>である。 ✕

A 514 問題解決に向けた支援を行うのは、<u>インターベンション</u>である。<u>モニタリング</u>は、支援の効果を測定する段階である。 ✕

A 515 <u>ニーズの発見</u>は、利用者が相談に来るのを待つだけでなく、ワーカーが<u>出向いていく</u>こともある。 ✕

社会福祉

Q 516 グループダイナミクスを唱えたのは、モレノである。

人物

Q 517 集団援助技術においては、メンバーが葛藤を経験し、それを解決するためのよりよい方法を経験できるように援助することも必要である。

Q 518 ワーカーは、メンバーのもっている長所のみを受け入れて援助を行わなければならない。

Q 519 グループワークの過程における準備期とは、支援の準備と波長合わせを実施する段階である。

Q 520 グループワークの過程における開始期とは、グループを活用してメンバーの問題解決に向けた取り組みを支援する段階である。

Q 521 グループワークは、意図的なグループ経験を通じて、個人の社会的に機能する力を高め、また個人、集団、地域社会の諸問題に、より効率的に、より効果的に対処しうるよう、人々を援助するものである。

Q 522 集団援助技術を展開していくうえでは、プログラムの計画段階からグループメンバーに参加してもらうことも必要である。

Q 523 生活モデルは、生活全体のなかで問題をとらえ、人と環境の相互作用に焦点を当てることを特徴とする。

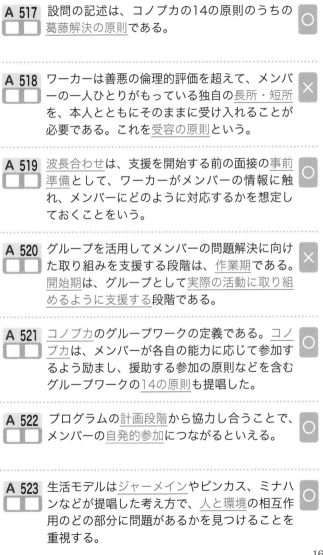

A 516 グループダイナミクスを唱えたのはレヴィンである。モレノはソシオメトリーを唱えた。　×

A 517 設問の記述は、コノプカの14の原則のうちの葛藤解決の原則である。　○

A 518 ワーカーは善悪の倫理的評価を超えて、メンバーの一人ひとりがもっている独自の長所・短所を、本人とともにそのままに受け入れることが必要である。これを受容の原則という。　×

A 519 波長合わせは、支援を開始する前の面接の事前準備として、ワーカーがメンバーの情報に触れ、メンバーにどのように対応するかを想定しておくことをいう。　○

A 520 グループを活用してメンバーの問題解決に向けた取り組みを支援する段階は、作業期である。開始期は、グループとして実際の活動に取り組めるように支援する段階である。　×

A 521 コノプカのグループワークの定義である。コノプカは、メンバーが各自の能力に応じて参加するよう励まし、援助する参加の原則などを含むグループワークの14の原則も提唱した。　○

A 522 プログラムの計画段階から協力し合うことで、メンバーの自発的参加につながるといえる。　○

A 523 生活モデルはジャーメインやピンカス、ミナハンなどが提唱した考え方で、人と環境の相互作用のどの部分に問題があるかを見つけることを重視する。　○

社会福祉

Q 524 地域援助技術を展開していくなかで、地域住民の活動は含まれていない。

Q 525 ニーズ・資源調整説を唱えたのは、レインである。

人物

Q 526 地域援助技術の展開では、住民のニーズを把握することが最初に行われる。

Q 527 今日の相談援助は、利用者を「問題を抱えた人」ととらえて、その問題の原因を探ることに重点を置く視点が主流である。

Q 528 社会福祉計画を実施する段階では、地域の議会や行政にはたらきかけるというような活動も展開される。

Q 529 地域援助技術は、慈善組織協会（COS）運動やセツルメント運動などが基盤となって体系化された。

Q 530 社会福祉計画法は、問題点を特定し、それを解決するための計画を開発していく過程をいう。

Q 531 わが国では、主に都道府県や市町村の社会福祉協議会が地域援助技術の機能を担っている。

A 524 地域援助技術では、<u>地域住民の活動も含めて</u>展開していくことが必要である。　×

A 525 地域のニーズと社会資源を効果的に結びつけていく過程を重視するのが、レインの<u>ニーズ・資源調整説</u>である。　○

A 526 <u>アンケート調査</u>や<u>座談会</u>などによって、地域の問題や住民のニーズは何か、住民の意識などを把握するのが、地域援助技術の最初の段階である。　○

A 527 今日の相談援助では、利用者が抱えている問題の<u>原因</u>を探ることではなく、問題を<u>解決</u>していくために利用者に必要なことは何かを探ることに重点が置かれている。　×

A 528 地域の議会や行政にはたらきかけたりすることを、<u>社会活動法</u>（ソーシャル・アクション）という。　○

A 529 地域援助技術は、援助を行っていく過程で<u>地域住民</u>が参加・協働できるような地域の組織化に向けた援助をいう。慈善組織協会（COS）運動やセツルメント運動が基盤となっている。　○

A 530 ソーシャル・プランニングともいう。計画の<u>実践</u>は含まれず、問題点の<u>特定</u>、目標の設定、そのための計画<u>開発</u>までの段階で構成される。　○

A 531 市町村<u>社会福祉協議会</u>では、社会福祉を目的とする事業の企画、実施、調査、普及、宣伝、連絡、調整、助成、活動への住民参加のための援助などを行っている。　○

社会福祉

Q 532 ネットワークとは行政の関係者や専門職による援助関係網をいい、地域住民は含まない。

Q 533 アウトリーチとは、自分で問題を認識していないクライエントに対して、援助者の方から働きかけていく手法をいう。

Q 534 ケアマネジメントとは、クライエントが自己決定できるような力をつけていけるように援助する手法をいう。

Q 535 ケアマネジメントは、「介護保険法」の施行にともなって行われるようになった手法である。

Q 536 ケアプランでは、当初の目的が達成されたあとも次の目的を達成するためのケアプランが作成されるため終結することはない。

Q 537 インフォームド・チョイスとは、「説明を受けたうえで選択する」という意味である。

Q 538 スーパービジョンとは、援助者がクライエントに対して行う指導・援助をいう。

Q 539 コンサルテーションとは、ワーカーがクライエントに対して援助を展開していくなかで、専門家の意見や情報を求めることをいう。

A 532 ネットワークとは、<u>地域住民</u>、福祉機関の支援者、福祉サービスを提供する実務担当者などが組み立てる<u>援助関係網</u>をいう。　×

A 533 相談援助者は、問題を抱えている人が相談のために<u>来訪するのを待つ</u>だけでなく、自ら出向いてケースを発見し、支援を届ける（<u>アウトリーチ</u>）ことが必要である。　○

A 534 ケアマネジメントとは、クライエントや家族がもつ<u>ニーズ</u>と<u>社会資源</u>を結びつけていく手法をいう。　×

A 535 ケアマネジメントは、「<u>介護保険法</u>」の施行にともなって行われるようになり、現在は、障害者に対しても用いられている。　○

A 536 ケアプランは、<u>当初</u>の目的が達成され、これからの<u>社会生活</u>に支障がないと判断された場合、終結となる。　×

A 537 「インフォームド」は「<u>説明</u>」、「チョイス」は「<u>選択</u>」という意味で、近年尊重されるようになってきた。　○

A 538 スーパービジョンとは、<u>熟練した援助専門家</u>が、<u>経験の浅いワーカー</u>などに対して行う、専門的能力を発揮するための指導・援助をいう。　×

A 539 コンサルテーションは、ワーカーが援助の展開過程のなかで、さまざまな専門的知識や技術について<u>各領域の専門家</u>の意見や情報を求めることをいう。　○

社会福祉

事例問題 トレーニング

次の文は、ある福祉事務所における【事例】である。

【事例】

　Yさんは、ひとり親家庭の母親としてパートで働きながら3人の子どもを育てている。子どもたちは保育所に預けているが、パートの仕事を何か所か掛け持ちしているため、夜間子どもたちの世話を実母に頼んでいる。最近、実母が体調を崩して子どもたちの世話を頼むことができなくなったため、Yさんはパートを減らそうかと考えている。しかし、パートを減らすと生活していけなくなるため、地域の民生・児童委員に相談し、福祉事務所で生活保護を受給するための相談をするようアドバイスを受けて来所した。

問題

福祉事務所の職員の対応として、適切な記述を○、不適切な記述を×として答えなさい。

Q540　Yさんが児童扶養手当などを受け取っているか確認する。

Q541　生活保護を申請するためには資産調査などがあることを伝える。

Q542　パートをすべてやめないと生活保護を受けられないと伝える。

Q543　生活保護は義務教育に対する扶助を行うため、保育所に通うことができなくなると伝える。

Q544　生活保護を受けながら、正規雇用になれるよう職業訓練を受けてはどうかと提案する。

Q545　子どもたちを一時的に児童養護施設に入所させないと生活保護を受けられないと伝える。

A540 児童扶養手当などの手当は保護者の申請に基づい ○
て支給されるため、申請せずに受給していないことが
ある。手当が支給されているかどうかを確認すること
は福祉事務所の職員の対応としては適切である。

A541 生活保護を申請した場合、活用できる資産がないか ○
等の調査が行われる。伝えることは適切である。

A542 パートによる収入だけで生活できない場合、それを ✕
補う形で、定められている基準の範囲内で生活保護費
が支給される。パートをすべてやめないと生活保護を
受けられないと伝えるのは適切ではない。

A543 生活保護の教育扶助は、義務教育に対する扶助であ ✕
る。しかし、保育所の保育料、副食費について生活保
護世帯は無償である。保育所に通えなくなると伝える
のは適切ではない。

A544 「生活保護法」第1条では、自立を助長することを ○
目的の一つとして掲げている。生活保護を受けなが
ら、正規雇用を目指して職業訓練を受けるよう提案す
るのは適切である。

A545 子どもを児童養護施設に入所させることは生活保 ✕
護受給の条件ではない。本来、子どもは保護者のもと
で養育されるのが原則であり、福祉事務所の職員の対
応として適切ではない。

社会福祉

社会福祉のさまざまな支援について、根拠となる法
律と結びつけて理解しておきましょう。

Point 17 社会福祉の歴史

近代までの西洋の社会福祉

1601年	イギリスで「エリザベス救貧法」（国家による組織的救貧対策）
1802年	イギリスで「工場法」（労働者に対する最初の保護立法）
19世紀	イギリスのバーネット夫妻、アメリカのアダムズなどがスラムでセツルメント運動を推進
1911年	イギリス「国民保険法」（社会保険の始まり）
1919年	第一次世界大戦後のドイツ「ワイマール憲法」（社会保障、社会福祉をうたう初の憲法）
1942年	イギリス「ベヴァリッジ報告」発表。社会の進歩を阻む5つの巨人（貧困、疾病、不潔、無知、怠惰）を防ぐ手段としての社会保障を提言→「ゆりかごから墓場まで」の生活保障

近代までの日本の社会福祉

奈良時代	「戸令」の「鰥寡条」で、要援護の対象を「老疾」「孤独」などを定め、近親者の援助が得られない場合、地方行政に委ねた
室町時代	宣教師らがキリスト教の慈善活動を展開
江戸時代	五人組による相互扶助。享保の改革で小石川養生所を設立（貧民を治療）、米沢藩上杉鷹山の備荒制度（飢饉を回避）
明治時代	1874（明治7）年「恤救規則」（日本初の救貧法、貧困の原因は怠惰にあるとする）、横山源之助『日本之下層社会』、明治末、中央慈善協会設立、救世軍の慈善鍋（街頭募金）
大正～昭和初期	1929（昭和4）年「救護法」が制定される。1936（昭和11）年「方面委員令」、1937（昭和12）年「軍事扶助法」「母子保護法」を制定。1938（昭和13）年厚生省を設置

得点UPの♥「社会福祉法」

「社会福祉事業法」は、2000（平成12）年に「社会福祉法」に改められた。福祉を措置から契約へと転換し、個人の自立支援、利用者による選択の尊重、福祉サービスの多様化と質の向上などを図っている。

◎ 社会福祉の法体系とは

社会福祉に関する法律は、「日本国憲法」第25条の「国民の生存権の保障」の理念に基づきます。

> 日本国憲法 第25条
> すべて国民は、健康で文化的な最低限度の生活を営む権利を有する。
> 2 国は、すべての生活部面について、社会福祉、社会保障及び公衆衛生の向上及び増進に努めなければならない。

社会福祉の主な法律である、貧困対策の「生活保護法」、児童のための「児童福祉法」、障害者のための「身体障害者福祉法」を福祉3法といい、「老人福祉法」「知的障害者福祉法」、「母子及び父子並びに寡婦福祉法」を加えて福祉6法といいます。

ゴロ合わせの部屋

「日本国憲法」第25条で生存権が認められていることを、「憲法は『にこっ（25）と笑って生きろ』と言う」と覚えましょう。

●「社会福祉法」の重要条文

> 第3条（福祉サービスの基本的理念）
> 福祉サービスは、個人の尊厳の保持を旨とし、その内容は、福祉サービスの利用者が心身ともに健やかに育成され、又はその有する能力に応じ自立した日常生活を営むことができるように支援するものとして、良質かつ適切なものでなければならない。

> 第4条（地域福祉の推進）
> 地域住民、社会福祉を目的とする事業を経営する者及び社会福祉に関する活動を行う者は、相互に協力し、福祉サービスを必要とする地域住民が地域社会を構成する一員として日常生活を営み、社会、経済、文化その他あらゆる分野の活動に参加する機会が確保されるように、地域福祉の推進に努めなければならない。

◎「生活保護法」のポイント

「生活保護法」第11条では、生活扶助、教育扶助、住宅扶助、医療扶助、介護扶助、出産扶助、生業扶助、葬祭扶助の8種類の扶助が規定されています。生活保護の実施機関は福祉事務所で、福祉事務所の社会福祉主事がその事務を行い、地区の民生委員が協力します。

社会福祉

◎ 第三者評価とは

事業者の提供するサービスの質を当事者（事業者および利用者）以外の公正・中立な第三者機関が、専門的かつ客観的な立場から評価する事業のことです。

● 保育所における3つの評価対象

①保育内容	②子育て支援	③保育の質の向上

◎ 苦情解決のしくみ

2000（平成12）年に「児童福祉施設最低基準（現：児童福祉施設の設備及び運営に関する基準）」が改正され、保育所を含む児童福祉施設に苦情解決の窓口の設置、運営適正化委員会への協力が規定されました。

● 福祉サービスに関する苦情解決のしくみの概要図

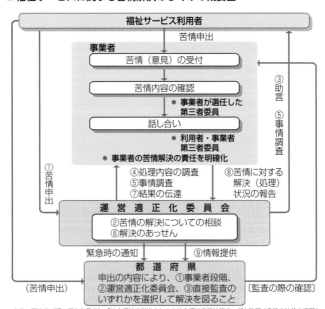

出典：厚生省（現：厚生労働省）、「社会福祉の増進のための社会福祉事業法等の一部を改正する等の法律の概要」
2000（平成12）年

Point 20 社会福祉の援助技術

● ソーシャルワーク（社会福祉援助技術）の用語

ケースワーク	個別援助技術。問題を抱える個人や家族に対し、問題を解決に導いていくように援助すること
グループワーク	集団援助技術。グループを活用して援助を行うこと
コミュニティワーク	地域住民が社会資源を活用することで、自主的に地域の問題を解決に導いていくこと
クライエント	支援を求める、あるいは支援が必要な人々
ワーカー	援助の技術について専門的な訓練を受けた人
傾聴	クライエントの話をワーカーが受容的、共感的態度で聴くこと。自由な感情の表出を可能とする
ラポール	相互信頼関係。クライエントとワーカーの間に親和的で相互信頼的な関係が築かれることを「ラポールがある」という。問題の解決に、ラポールがあることが大切
バイステックの7原則	バイステックが援助者の基本的態度として示した。個別化、意図的な感情表出、統制された情緒的関与、受容、非審判的態度、クライエントの自己決定、秘密保持の7つ
パールマンの4つのP	パールマンが主張した、ケースワークの4つの構成要素。Person（人）、Problem(問題)、Place（場所。援助機関など）、Process（過程。ラポールの上に成り立つ援助の過程）
間接援助技術	ワーカーがクライエントに直接はたらきかけるのではなく、社会環境にはたらきかけて改善し、問題を解決する。ソーシャルワーク・リサーチ（社会福祉調査法）なども間接援助技術に含まれる

社会福祉

◎ ケースワークの展開過程とは

受理面接（インテーク）→アセスメント（問題の把握のために行う）→計画（プランニング）（援助の具体的方法を計画する）→介入（インターベンション）（直接的介入と間接的介入）→効果測定（モニタリング）・事後評価（エバリュエーション）（目標の達成度を評価）→終結（クローズド）

得点UPの ♥ スーパービジョン

スーパービジョンとは、熟練の援助専門家（スーパーバイザー）が、経験の浅いワーカーなど（スーパーバイジー）に対し、専門的な能力を発揮できるよう指導、援助すること。

保育の心理学

1 保育と発達心理学

Q 546 一卵性双生児の階段上りの実験から、発達は基本的に神経系の成熟によるとしたのは、シュテルンである。 人物

Q 547 環境的要因を操作すれば発達を完全に制御できるとしたのはワトソンである。 人物

Q 548 レディネスとは、早い時期からの訓練や学習が有効なことを指す言葉である。

Q 549 人間の特性にはさまざまあり、それぞれが発達していくために必要な環境要因は同じではなく、個々に一定の水準が必要であるという考え方を環境閾値説という。 発達

Q 550 学習の成立にとって必要な個体の発達的素地、心身の準備性をレジリエンスという。

Q 551 輻輳説は、発達は、遺伝的な要因と環境的な要因が互いに作用し合って決まるという考え方である。 発達

Q 552 トレヴァーセンは、情動的な一体関係が成り立つ一次的間主観性と、相手の意図を把握する二次的間主観性を区別した。 人物

Q 553 エレン・ケイは、生まれてすぐに独り立ちする早成性動物にみられるインプリンティング（刷り込み）を発見した。

年齢に応じた社会性の発達と、発達援助のあり方について学習しましょう。特に乳幼児の発達の流れについてはしっかり押さえておきましょう。

A 546 ゲゼルは一卵性双生児の階段上りの実験から、発達は基本的に神経系の成熟によるとした。

A 547 ワトソンは、環境（優位）説を唱え、遺伝的要素より環境的要素を重視した。

A 548 レディネスとは、訓練や学習を受け入れるための内的な準備状態や成熟状態を指す言葉である。

A 549 環境閾値説は相互作用説の一つで、たとえば、体格などは特に悪環境でなければ生まれ持った特性が完全に発現するが、スポーツや芸術に関する特性は特別な訓練を行うことで初めて発現するというものである。

A 550 心身の準備性はレディネス、レジリエンスはストレスなど外からの力を跳ね返す力をいう。

A 551 輻輳説は、遺伝的要因と環境的要因とが独立し、総和したものとしている。

A 552 トレヴァーセンは、生後5～6週間にみられる一次的間主観性と、生後6か月以降にみられる二次的間主観性を区別した。

A 553 動物行動学者のローレンツは、孵化直後の鳥のひなを観察してインプリンティング（刷り込み）を発見した。

Q 554 人の発達のうち社会・文化・時代において示されるおおよそ決まった規則的な一生の推移をライフステージという。

Q 555 ピアジェの認知発達理論では、2〜7歳の子どもは前操作期にあたり、この時期は、象徴的思考期と直観的思考期に分けられる。 人物

Q 556 シェマとは、繰り返し使用される行為のパターン、またはその行為を行う心的構造のことである。

Q 557 象徴的思考期では、表象を言語によって象徴することは可能であるが、抽象化や一般化は困難である。

Q 558 言語によって推理し、一般的原理を発見できるようになるのは、7〜8歳頃である。 発達

Q 559 ブリッジスは、情緒の出発は生後3か月以降の乳児にみられる興奮であると唱えた。 人物

Q 560 乳児期後半になると、母親の喜びや悲しみなどの表出に対し、喜んでいるあるいは悲しんでいるようにみえる反応を示すが、これは他者の感情を理解しているからである。 発達

Q 561 怒りは、自身にとって排除したり避けたい対象や出来事に対して生じる感情である。

A 554 人の発達のうち社会・文化・時代において示されるおおよそ決まった規則的な一生の推移は、ライフサイクルである。 ×

A 555 ピアジェは、認知発達段階を感覚運動的知能の段階、前操作期、具体的操作期、形式的操作期に区分した。 ○

A 556 乳児は、感覚運動的シェマから用いるようになり、発達とともに次々と新しいシェマを獲得していくとされている。 ○

A 557 象徴的思考期とは、2～4歳の時期をいい、概念形成が不十分なため前概念的思考期ともいう。 ○

A 558 言語によって推理し、一般的原理を発見できるようになるのは、11、12歳以降である。この時期を形式的操作期という。 ×

A 559 ブリッジスは、情緒の出発は新生児の興奮にあるとした。 ×

A 560 乳児は、乳児期前半から母親の感情表出に対して反応を示す。これは、母親の様子や声の調子に誘発されて生じる感情の伝染である。 ×

A 561 怒りは欲求の充足を阻害されたときのフラストレーションによって生じる。自身にとって排除したり避けたい対象や出来事に対して生じる感情は嫌悪である。 ×

Q 562 エリクソンは、どの発達段階でも、肯定的な経験をすることが理想ではなく、否定的な経験を上回って肯定的な経験をすることが発達課題の克服となるとした。

Q 563 エリクソンは、人間は生涯にわたって連続して発達していくものだと唱えている。 発達

Q 564 エリクソンの発達課題のうち「自律性対恥と疑惑」とは、自分の行動を抑制できるかどうかという幼児前期の発達課題である。 発達

Q 565 エリクソンの発達課題のうち「親密性対孤立」は、青年期の発達課題である。 発達

Q 566 エリクソンの発達課題のうち乳児期の「信頼性対不信」は、養育者をはじめとして、まわりの人を信じられるかどうかという課題である。 発達

Q 567 子どもが自分で着替えをしようとしているとき、保育士が着替えさせる。 発達

Q 568 猫を見て子どもが「ニャーニャー」と言ったときは、発達を促すために保育士が「そうね、ネコがいるね」と言葉を返す。 発達

Q 569 空の巣症候群は、成年前期にみられる心理的危機である。 発達

A 562 エリクソンは、人間の発達段階を8つに分類し、それぞれの段階で個人の欲求と社会的要請との対立による心理・社会的危機があるとした。 ○

A 563 エリクソンの理論は、少しずつ発達していくという意味から、漸成的発達理論ともよばれる。ある時期の発達がうまくいくかどうかは、その前段階の発達が影響しているとされる。 ○

A 564 幼児前期には、排泄をうまくできるようになるかが課題とされ、それができないと恥ずかしい、親の助けを借りないで一人でできるのだろうかという疑惑をもつ。 ○

A 565 「親密性対孤立」は成年前期の発達課題である。自分自身を他者に完全に与えることができるかが課題とされている。 ✕

A 566 エリクソンは、乳児期に「信頼性対不信」の課題をクリアすることで基本的信頼感を獲得し、自分や社会を信じてよいのだという信念をもつことができるようになると考えた。 ○

A 567 子どもが自分で着替えをしようとしているとき、時間がかかっても保育士は見守り、自分で着替えることの達成感を感じられるようにする。 ✕

A 568 「ニャーニャー」が「ネコ」ということを理解させていくために、正しい言葉を返すことが大切である。 ○

A 569 空の巣症候群は、成年後期にみられる。子どもが進学や就職、結婚などで家を出ることで、自分の役割を失ったと感じ、喪失感や空虚感におそわれることをいう。 ✕

Q 570 トマス等は気質に関する調査を行い、子どもの気質に個人差があるという調査結果を公表した。 発達

Q 571 発達の変化は、常にその境目を明確に確認することができる。 発達

Q 572 気質は、子どもの性格の根底にあるもので、人間が生まれつきもっている特性とされている。

Q 573 子どもの精神的能力の発達は、抽象的思考から具体的思考へと進んでいく。 発達

Q 574 発達の過程には、類似した現象や傾向が周期的に現れる周期性がある。 発達

Q 575 歩行に関する発達は頭部から脚部へ、身体的能力の発達は中心から末梢へと進んでいく。 発達

Q 576 幼児期の運動能力の発達は、幼児の知的能力の発達に影響を及ぼさない。 発達

Q 577 ハヴィガーストは、生涯を６つの段階に区分し、ある発達段階から次の発達段階に進むためには、それぞれの段階で達成しておかなければならない課題があるとした。 人物

A 570 トマス等は子どもの特性を9つに分類し、それ
ぞれを5段階で評価して、その組み合わせか
ら、子どもの気質を「扱いやすい子」「扱いに
くい子」「立ち上がりが遅い子」の3タイプに
分類した。 ○

A 571 発達は常に絶え間なく連続して進んでいくた
め、その境界を見分けることは困難である。 ×

A 572 気質は、一般的には周囲の刺激に対して敏感に
反応したり、あまり影響されたりしないなど、
人間が生まれつきもっている特性とされている。 ○

A 573 子どもの精神的能力の発達は、目の前にあるも
のを見ながら考える具体的思考から、頭の中で
イメージしながら考える抽象的思考へと変化す
る。 ×

A 574 発達の過程には、身長と体重が交互に発達す
る、自我や情緒が安定したり不安定になったり
する、などの周期性がある。 ○

A 575 歩行に関する発達は、頭部から脚部へ、身体的
能力は中心から末梢へというように進む。 ○

A 576 幼児期の心身の各機能は、相互に関連しあって
発育する。幼児期の運動能力の発達は、知的能
力や社会性の能力の発達に大きな影響を及ぼす
傾向がある。 ×

A 577 ハヴィガーストは、生涯を6つの段階に区分
し、発達課題を達成することにより健全な成長
がもたらされ、人間は幸福な一生を送ることが
できると主張した。 ○

2 初期経験の重要性

Q 578 新生児は、未成熟なまま生まれてくるため養育者に長く養護されなければならず、これを生理的早産という。 発達

Q 579 ポルトマンは、ヒト以外の霊長類も含めた高等哺乳類の出生を離巣性とした。 人物

Q 580 人間の発達のすべてが、乳幼児期の経験に左右されるとされている。 発達

Q 581 ストレンジ・シチュエーション法を用いて愛着形成の質の分析を行ったのは、ワトソンである。 人物

Q 582 新生児が他者の顔の表情を模倣できることを示したのはピアジェである。 人物

Q 583 母子が共通のものに一緒に関心を向けることを共通認識という。 発達

Q 584 ボウルビィは初期経験としての乳幼児と養育者との親密な人間関係が欠けている状態を母性剥奪とよんだ。 人物

Q 585 母親の状態が不安定な場合、子どもはその状態を敏感に察知するとされている。

A 578 生理的早産はポルトマンが提唱した考え方で、生後１年間の乳児は子宮外胎児の状態（二次的就巣性）とよばれる。 ○

A 579 被毛の有無や感覚器官の発達の程度、成体とほぼ同じ姿勢保持や移動運動様式を備えた状態で生まれてくることを離巣性という。 ○

A 580 人間の発達のすべてが乳幼児期の経験に左右されるわけではなく、人生のどの段階においても人間は変化する可能性、柔軟性をもっている。 ×

A 581 ストレンジ・シチュエーション法は、子どもと母親を一緒に遊ばせた後、分離・再会させるという実験で、エインズワースが行った。 ×

A 582 新生児が他者の顔の表情を模倣できることを示したのはムーアである。 ×

A 583 母子が共通のものに一緒に関心を向けることは共同注意（ジョイントアテンション）という。共同注視ともよばれる。 ×

A 584 母性剥奪（マターナル・デプリベーション）は、その後の情緒的、身体的、対人関係的な面の発達に遅れや歪みを生じさせることがあるとしている。 ○

A 585 子どもは、間主観性によって母親の状態を敏感に察知し、母親が不安定な場合、自分自身も不安定な状態になる。 ○

Q 586 新生児期から、話しかけの声のリズムにあわせて身体を動かす行動がみられる。 発達

Q 587 乳児が、棚の上のおもちゃが欲しいときに「アーアー」と言いながら身振りで母親に伝えようとすることを共鳴動作という。 発達

Q 588 乳児が他児の泣き声を聞いて、つられて泣くことを情動伝染という。 発達

Q 589 乳児が養育者の顔をじっと見つめることをアイ・コンタクトという。 発達

Q 590 サルの代理母実験から、愛着形成における接触刺激（スキンシップ）の重要性を示したのはピアジェである。 人物

Q 591 胎児は、指しゃぶりといった反射行動をすでに始めている。 発達

Q 592 生後間もない乳児は、養育者の話し声からその言語特有のリズムパターンを学習している。 発達

Q 593 誕生時からさまざまな人との間に質の異なる人間関係を結び、その中から愛着関係が生まれるとしたのはルイスである。 人物

A 586 話しかけの声のリズムにあわせて身体を動かすことを<u>相互同期性</u>といい、<u>新生児期</u>からすでにみられる。　○

A 587 声に出しながら身振りで相手に伝えようとするのは<u>共同注意</u>の一種である。<u>共鳴動作</u>は、新生児や乳児が、相手と同じような表情や動作をすることをいう。　×

A 588 <u>情動伝染</u>は感情の伝染のことで、他児の感情を理解できていなくても、相手の様子に<u>誘発</u>されて生じる。　○

A 589 乳児は、養育者との間の<u>視線</u>の接触によって養育者を認知し、<u>コミュニケーション</u>活動が可能になる。　○

A 590 サルの代理母実験から愛着形成における<u>接触刺激</u>の重要性を示したのは、<u>ハーロウ</u>である。　×

A 591 妊娠<u>4〜5</u>か月になると、胎児は口にふれる<u>指</u>をしゃぶるようになり、出生後に母乳やミルクを飲むための練習ともいわれている。　○

A 592 生後間もない乳児は、養育者の話し声からその<u>言語特有</u>の<u>リズムパターン</u>を学習することで、母語とそれ以外の言語を聞き分けることができる。　○

A 593 アメリカの心理学者<u>ルイス</u>は社会的ネットワークという考え方を提唱し、それによると誕生時の<u>白紙</u>の状態からさまざまな人と関係を結ぶことから愛着関係が生じるとした。　○

保育の心理学

3 人との関わり

Q 594 他者の感情を推察あるいは考えを類推して自分に期待される役割を理解しふるまえるようになることを役割取得という。

Q 595 子どもが自分から周囲のものや人に関わろうとしてうまくいかない時、愛着関係のある保育士の存在は子どもの安全基地になる。

Q 596 子どもの道徳的判断は、行動の規準が自分本位に決定され、社会的慣習を考慮しない水準からはじまるとしたのはコールバーグである。 人物

Q 597 ピアジェの理論に基づく社会的構成主義では、子どもが活動を通して知識を構成していくという能動性を重視する。 人物

Q 598 情報が環境の中に存在し、人がその情報を環境の中から得て行動していると考える理論は、生態学的システム論である。

Q 599 心の理論とは、他者の行動からその背後にある心的状態を推測し、その次の行動を予測するための理論である。

Q 600 ブロンフェンブレンナーの生態学的システム論では、子どもが直接所属している家庭、保育所、幼稚園などをメゾシステムとした。 人物

Q 601 集団生活のなかで、自分と他者を比べることを社会的比較という。

A 594 セルマンとバイルンは、役割取得を、母親など特定の誰かだけでなく他者の視点までを考慮する社会的視点の取得能力であるとした。　○

A 595 子どもの探索活動には、うまくいかなくても受け入れてくれる人が必要で、愛着関係のある存在は安全基地となる。　○

A 596 コールバーグは、社会的慣習を考慮しない水準から他者の期待や社会的慣習に基づいて行動する水準に移行し、さらに道徳的価値と自己の良心によって行動する水準に達するとした。　○

A 597 ピアジェの理論に基づくのは構成主義（心理学的構成主義）である。社会的構成主義は、ヴィゴツキーが提唱した理論である。　×

A 598 情報が環境の中に存在し、人がその情報を環境の中から得て行動していると考える理論は、アフォーダンス理論である。ギブソンが提唱した。　×

A 599 他者の意図や信念、願望、感情、思考など直接観察することができない他者の心の理解を心の理論という。　○

A 600 子どもが直接所属している環境はマイクロシステムである。メゾシステムは子どもが属している家庭と保育所の関係などをいう。　×

A 601 自分と他者の比較を社会的比較といい、上方比較と下方比較がある。　○

保育の心理学

185

Q 602 年度途中で新入所児が加わったとき、保育士はすでに入所している子どもと新たに入所した子どもの両方に関わっていく。

Q 603 受容的・応答的な関わりの下で、何かを伝えようとする意欲や身近な大人との信頼関係を育て、人と関わる力の基盤を培う。 指針

Q 604 「保育所保育指針」では、1歳以上3歳未満児の保育に関わるねらいおよび内容で、自己と他者の違いの認識がまだ十分ではないとしている。 指針

Q 605 「保育所保育指針」では、3歳以上児の保育に関するねらいおよび内容において仲間の中の一人という自覚が生じるとしている。 指針

Q 606 応答的に関わる特定の大人との間に情緒的な絆が形成されるのは、乳児期の発達の特徴である。 指針

Q 607 道徳性の芽生えを培うにあたっては、子どもが身近な大人との関わりのなかで他人の存在に気付き、相手を尊重する気持ちをもって行動できるようにする。 指針

Q 608 「保育所保育指針」では、子どもが人と関わる力を育てていくため、周囲の大人が関われる環境を整えることとしている。 指針

Q 609 乳児が身近な人と気持ちが通じ合うようにするためには、保育士等が温かく受容的・応答的に関わることが必要である。 指針

A 602 すでに入所している子どもと新たに入所した子どもの両方に関わり、子ども同士が<u>安定した関係</u>を築けるようにする。 ○

A 603 「保育所保育指針」では、保育士等との<u>信頼関係</u>に支えられて生活を<u>確立</u>していくことが人と関わる基盤となるとしている。 ○

A 604 保育士等が<u>仲立ち</u>となって、自分の気持ちを相手に伝えることや、相手の気持ちに<u>気付く</u>ことの大切さなどを丁寧に伝えていくとしている。 ○

A 605 3歳以上児では、仲間と遊び、仲間の中の一人という<u>自覚</u>が生じ、集団的な遊びや<u>協同的</u>な活動もみられるようになるとしている。 ○

A 606 乳児期は、視覚、聴覚などの感覚や、座る、はう、歩くなどの運動機能が著しく発達し、特定の大人との<u>応答的</u>な関わりを通じて、<u>情緒的な絆</u>が形成されるといった特徴がある。 ○

A 607 「保育所保育指針」では、子どもが<u>他の子ども</u>との関わりのなかで他人の<u>存在</u>に気付き、相手を<u>尊重</u>する気持ちをもって行動できるようにすることとしている。 ×

A 608 子どもが人と関わる力を育てていくため、子ども<u>自ら</u>が周囲の子どもや大人と関わっていくことができる<u>環境</u>を整えることとしている。 ×

A 609 保育士等が子どもの多様な感情を受け止め、温かく<u>受容的</u>・<u>応答的</u>に関わることが必要であるとしている。 ○

4 新生児期の発達過程

Q 610 新生児の視覚は未発達なため、まったく何も見えていない。 発達

Q 611 新生児を仰臥位にし、頭を一方に向けると頭を向けた側の上下肢を縮め、反対側の上下肢を伸ばすことを緊張性頸反射という。 発達

Q 612 新生児の足の裏を柔らかくこすると、指を扇のように開くことをモロー反射という。 発達

Q 613 ファンツの注視実験によると、新生児が注視した時間が最も長かったのは人の顔であった。 人物

Q 614 新生児は入浴の際の湯の温度に鈍感なため、養育者が注意しなければならない。

Q 615 新生児の場合、痛覚に対しては鈍感で、生後1か月を過ぎても皮膚刺激に対して反応しない。 発達

Q 616 聴覚系の中枢神経が完成するのは2～3歳頃であるが、新生児でも音を聴くことは可能である。 発達

Q 617 新生児の睡眠は、睡眠と覚醒を1日に何回も繰り返すもので、単相性睡眠とよばれる。 発達

A 610 新生児の視力は<u>0.01〜0.1</u>程度とされ、自分の目から20〜30cmの位置に<u>焦点が固定</u>されている。何も見えないということではない。 ×

A 611 緊張性頸反射とは、仰臥位にし、頭を一方に向けると、頭を向けた側の<u>上下肢</u>を<u>伸ばし</u>、反対側の<u>上下肢</u>を<u>曲げる</u>ことをいう。 ×

A 612 新生児の足の裏を柔らかくこすると、指を扇のように開くことを<u>バビンスキー反射</u>（足裏反射）という。<u>モロー反射</u>は、刺激を与えると腕を伸ばして広げ、抱きつくようにすることをいう。 ×

A 613 新生児・乳児ともに<u>人の顔</u>の注視時間が最も長く、人の顔を<u>好んでみる</u>ことが明らかである。 ○

A 614 新生児の感覚は、ミルクや入浴の際の湯の温度に対する皮膚感覚が<u>敏感</u>であるなど、自分自身の<u>生存</u>に関して有利にはたらくという特性がある。 ×

A 615 新生児の場合、生後数日は痛覚に対してはっきり反応しないものの、<u>生後1週間</u>を過ぎると皮膚刺激にも<u>敏感に反応</u>する。 ×

A 616 聴覚系の中枢神経が完成するのは2〜3歳頃であるが、聴覚の基本構造は<u>胎児の頃</u>にすでに完成しているため、音を聴くということは新生児でも可能である。 ○

A 617 睡眠と覚醒を1日に何回も繰り返す新生児の睡眠を<u>多相性睡眠</u>という。<u>単相性睡眠</u>は、成人の睡眠のように睡眠をまとめてとる型をいう。 ×

5 乳児期の発達過程

Q 618 高さや深さ、奥行きなどの三次元的広がりは、幼児期にならないと理解できない。 発達

Q 619 偶然自分の指が口に触れ、吸ってみた子どもが、そのことに興味があるというように繰り返し同じことをすることを第一次循環反応という。 発達

Q 620 生後2か月頃から、機嫌のよい時に、喉の奥からやわらかい発声をすることをクーイングという。

Q 621 生後3か月頃に人があやすと笑うようになることを社会的参照という。 発達

Q 622 布で隠された物を見つけ出すことができるようになるのは、第三次循環反応期を過ぎてからとされている。 発達

Q 623 生後9〜10か月頃になると、対象と人に対し相互に注意を向けることができるようになる。 発達

Q 624 見慣れた人と見知らぬ人を区別し、見知らぬ人があやそうとすると泣いたりすることをスピッツは8か月不安とよんだ。 発達

Q 625 客観的に自分の存在を認識できるようになるのは、1歳頃からである。 発達

A 618 三次元的な広がりは乳児期に理解しているということが、ギブソンとウォークの視覚的断崖という実験で立証されている。 ✕

A 619 第一次循環反応は、ピアジェが唱えた感覚運動的知能の段階の1つである。 ◯

A 620 クーイングは、乳児にとってコミュニケーションの原型ということができる。 ◯

A 621 生後3か月頃に人があやすと笑うようになることを社会的微笑という。 ✕

A 622 布などで隠された物を見つけ出すことができるようになるのは生後8か月頃とされ、これは第三次循環反応期の前の段階である。 ✕

A 623 生後9〜10か月頃に、対象と人に対し相互に注意を向けられるようになることを三項関係という。 ◯

A 624 養育者や身近な人を認識できるようになり愛着をもつようになると、それ以外の人との接触に対して不安感を覚え、泣き出すなどの行動を示すようになる。生後8か月頃に顕著になる。 ◯

A 625 ルイスとブルックス・ガンの実験によると、客観的に自分の存在を認識できるようになるのは、1歳半を過ぎた頃からである。 ✕

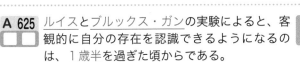

保育の心理学

6 幼児期の発達過程

Q 626 両足跳びができるようになるのは1歳6か月頃、片足
跳びができるようになるのが3歳頃とされている。

発達

Q 627 幼児期の特質的思考としてあげられるのは、具体性、
自己中心性、未分化性である。

Q 628 幼児期には、走る、跳ぶ、登る、くぐるなど多様な動
きをする遊びより、特定の動きを繰り返す運動のほう
が身体発達に効果がある。

Q 629 心の理論を獲得できるのは、4歳を過ぎた頃であ
る。 発達

Q 630 心の理論を獲得すると、相手の行動を理解したり予測
したりすることが可能になる。 発達

Q 631 直観的思考とは、事物の外見や自分の主観などに左右
されないことをいう。

Q 632 幼児期には、量や数に対する保存概念がない。 発達

Q 633 バンデューラが提唱した条件反射のメカニズムに基づ
く行動変化の理論をレスポンデント条件づけという。

A 626 両足跳びができるようになるのは2歳頃、片足跳びができるようになるのが4歳頃とされている。 ☒

A 627 具体性は、自分の身体を動かしたり物に直接触れることで物事を考えること、自己中心性は、すべての物事を自分中心で考えること、未分化性は、知的機能と感情、自分と他者などを別のものとして捉えられないことをいう。 ◯

A 628 運動機能を発達させ、運動能力を伸ばすためには、多様な動きを経験する遊びが効果的である。 ☒

A 629 他者は自分とは異なる考えや知識をもっているということを理解できるようになるのは4歳を過ぎた頃からである。これによって心の理論を獲得できる。 ◯

A 630 一般的に心の理論の獲得は4歳以降であるといわれるが、自閉スペクトラム症の子どもは獲得が困難であるという指摘もある。 ◯

A 631 直観的思考とは、事物の外見や自分の主観などに左右される考え方をいう。分類、推理、判断などが論理性に欠けることが多い。 ☒

A 632 幼児の場合、量や数について判断するときに知覚に左右され、保存概念はまだ獲得できていない。 ◯

A 633 パブロフは条件反射のメカニズムによって行動が変化することをレスポンデント条件づけとした。 ☒

Q 634 ヴィゴツキーは、他者とのコミュニケーションに用いる言葉を内言とした。人物

Q 635 ヴィゴツキーは、発達の最近接領域という考え方を唱え、現時点で子どもが獲得している部分だけをみることが重要であるとしている。人物

Q 636 自分の考え方以外の考え方があることに気付き、自分中心の考え方から抜け出すことを脱中心化という。発達

Q 637 自分の思考を中心に結果を予測したり、分析することをメタ認知という。

Q 638 生涯発達において、成人期の経験によっては上昇する知的能力もあることが明らかになっている。発達

Q 639 困っている人の手助けをするなど、直接的な見返りを期待せず、人や社会のためになりたいという気持ちを行動にすることを共感関連反応という。

Q 640 高齢になると生理的予備能力が低下し、ストレスに対する脆弱性が亢進して不健康を引き起こしやすくなる。その予防が平均寿命の延伸にかかわる。

Q 641 コンボイ・モデルでは、同心円の外側に身近で頼れる人を配置している。

A 634 ヴィゴツキーは、他者とのコミュニケーションに用いる言葉を<u>外言</u>とし、子どものひとりごと（内言）は、自分の思考のための言葉になる移行過程とした。 ✕

A 635 ヴィゴツキーは、現時点で獲得した部分だけをみるのではなく、それよりも高いレベルの<u>他者の援助</u>によって解決できる水準も十分に考慮しなければならないとしている。 ✕

A 636 ピアジェが提唱したもので、<u>脱中心化</u>が進むことで<u>自己中心性</u>が解消されていくとした。 ○

A 637 メタ認知は自分の思考を<u>客観視</u>して、結果予測や分析を行うことをいう。 ✕

A 638 青年期以降、知的能力は<u>下降</u>すると考えられてきたが、成人期における経験により<u>上昇</u>する知的能力もあることが明らかになっている。 ○

A 639 見返りを期待せず人や社会のためになりたいという気持ちを行動にすることは<u>向社会的行動</u>である。 ✕

A 640 高齢になると生理的予備能力が低下し、ストレスに対する脆弱性が亢進して<u>不健康</u>を引き起こしやすくなり、この状態を<u>フレイル</u>という。その予防が<u>健康寿命</u>の延伸にかかわる。 ✕

A 641 <u>コンボイ・モデル</u>では、同心円の<u>内側</u>に身近で頼れる重要な人を配置し、<u>外側</u>に社会的な役割による人を配置している。 ✕

保育の心理学

8 子どもの生活と遊び

Q 642 「保育所保育指針」では、「身近な人と気持ちが通じ合う」の内容として、「生活や遊びの中で、自分の身近な人の存在に気付き、親しみの気持ちを表す」があげられている。 指針

Q 643 複数の子どもたちが一緒に砂で山をつくり、相談しながらトンネルや川をつくるのは協同遊びである。

Q 644 他の子どもの遊びをまねるものの、他の子どもとの交流がない状態を並行遊びという。

Q 645 仲間と楽しく遊んだ経験や、遊びのなかで築いた仲間関係が、生活での協力に結びついたりする。 発達

Q 646 保育士が誘っても、友だちが遊んでいるところを離れたところからじっと見ている状態を、ひとり遊びという。

Q 647 遊びのなかでけんかや葛藤を経験することは、社会的スキルを身につけるうえで必要である。

Q 648 遊びはその時点での発達の水準を反映した活動であるとしたのはヴィゴツキーである。 人物

Q 649 玩具などは、遊びを通して感覚の発達が促されるように工夫することとしている。 指針

A 642 「保育所保育指針」第2章「保育の内容」の乳児保育に関わるねらい及び内容の「身近な人と気持ちが通じ合う」は、社会的発達に関する視点である。 ◯

A 643 協同遊びは、共通の目的をもって集団で遊ぶ形態をいう。 ◯

A 644 並行遊びは、近くでまったく同じ遊びをしているが、子ども同士の具体的な交流がない状態をいう。 ◯

A 645 生活を通した遊びのなかで、子どもは他児をモデルとして自立に向けてさまざまなことを経験し学んだり、ルールは守るものだという考え方へと変化していく。 ◯

A 646 友だちの遊びをじっと見ているだけで仲間に加わって遊ぼうとしない状態を、パーテンは傍観者的行動と名づけている。 ✕

A 647 遊びのなかでけんかや葛藤を経験することによってルールをつくったり、変更したりするなどの社会的スキルを身につけていく。 ◯

A 648 遊びはその時点での発達の水準を反映した活動であるとしたのはピアジェである。 ✕

A 649 「保育所保育指針」では、玩具などは、音質、形、色、大きさなど子どもの発達状態に応じて適切なものを選び、遊びを通して感覚の発達が促されるように工夫することとしている。 ◯

Q 650 保育士等が乳児からの働きかけを踏まえた、応答的な触れ合いや言葉がけをすることで、乳児の欲求が満たされ、安定感をもって過ごすことができる。 指針

Q 651 保育所保育は、小学校教育への準備段階ではなく、幼児期の教育と小学校教育を相互に理解し、生かしあうことが大切である。

Q 652 保育所での生活のなかでどのように行動したらよいかわからない子どもに対しては、子どもの発達にあわせて1日の活動の流れなどを視覚的に示すことも一つの方法である。

Q 653 生活習慣を身につけさせる過程では、保育士等が主体となって画一的に働きかけていくことが大切である。

Q 654 巡回相談はアウトリーチ型支援で、保育における巡回相談では、保育者への助言、知識や情報の提供を行うことが目的である。

Q 655 保育士等の行動や表情は、子どもに影響を与えている。

Q 656 乳児保育では特に担当の保育士が代わる場合、子どものそれまでの発達過程等に留意して、引き継ぎをすることが大切である。

Q 657 子どもに適切な援助を行っていくためには、保育士等は自分の関わり方を振り返ることが必要である。

A 650 「保育所保育指針」乳児保育に関わるねらい及び内容では「子どもからの働きかけを踏まえた、応答的な触れ合いや言葉がけによって、欲求が満たされ、安定感をもって過ごす」としている。　○

A 651 保育所と小学校がそれぞれの指導方法を工夫し、保育所保育と小学校教育との円滑な接続が図られることが大切である。　○

A 652 自分がとるべき行動がわからないと、自信がなくなり保護者を求めるようになることもある。絵で次の行動を示すなど視覚的働きかけを行って自信をもたせていくことも必要である。　○

A 653 子どもが主体的に取り組むように、保育士等は個人差を踏まえた配慮をすることが大切である。　✕

A 654 保育における巡回相談では、知識の提供、精神的支え、新しい視点の提示、ネットワーキングの促進などを目的としている。　○

A 655 子どもは保育士等の行動や表情をよく観察しているため、保育士等の意図にかかわらず、常に環境として影響を与えている。　○

A 656 乳児保育では特定の保育士等との密接な関わりが重要であるため、子どもが安定して過ごせるよう配慮が必要である。　○

A 657 子どもにより適切な働きかけを行うためには、保育士等が常に自分の保育を振り返る姿勢が必要である。　○

保育の心理学

Q 658 「保育所保育指針」では子どもが小学校就学にあたり、困らないように、正しい文字の書き方や簡単な筆算などを指導することが保育士の役割の一つであるとしている。 指針

Q 659 保育士等は、クラス全体の生活リズムなどに応じて、活動内容のバランスや調和を図っていく。 指針

Q 660 子どもに基本的生活習慣を獲得させていくためには、一貫性をもって毎日繰り返し行うことが重要である。

Q 661 外国人の保護者は、言語が異なることでコミュニケーションをうまく取れない場合、孤立し、孤独感を持つことがある。 指針

Q 662 外国籍の家庭が日本の文化や習慣に早く慣れるよう、特別な個別支援を行う必要はない。 指針

Q 663 1歳以上3歳未満の時期には、自我が形成される。 指針

Q 664 3歳以上児では、保育所における生活の仕方を知り、自分たちで生活の場を整えながら見通しをもって行動できるようにすることが大切である。 指針

Q 665 子どもが試行錯誤しているときには、保育士等がすぐに助言することが必要である。 指針

A 658 ☐☐ 幼児期の終わりまでに育ってほしい姿が示されており、その一つは、遊びや生活の中で、数量や図形、標識や文字などに親しむ体験を重ねたり、標識や文字の役割に気付いたりし、これらを活用し、興味や関心、感覚をもつようになることとしている。 ✕

A 659 ☐☐ 一人ひとりの子どもの生活のリズム、発達過程、保育時間などに応じて、活動内容のバランスや調和を図っていく。 ✕

A 660 ☐☐ 一貫性をもって毎日繰り返し行うことで習慣が定着し、意識しなくても行える状態に進展する。 ○

A 661 ☐☐ 外国人の保護者が孤立し、孤独感をもっている場合、保育士は送迎時などに丁寧に関わり、問題を把握していく。 ○

A 662 ☐☐ 保育所は、外国籍の家庭が日本の文化や習慣に早く慣れるよう、個別支援を行うなどの配慮が必要である。 ✕

A 663 ☐☐ 自我が形成され、子どもが自分の感情や気持ちに気付くようになる重要な時期であることに鑑み、情緒の安定を図りながら、子どもの自発的な活動を尊重するとともに促していく。 ○

A 664 ☐☐ 家庭での生活経験に配慮し、子どもの自立心を育て、他の子どもと関わりながら主体的な活動を展開するなかで、生活に必要な習慣を身につけ、次第に見通しをもって行動できるようにする。 ○

A 665 ☐☐ 子どもが周囲に働きかけ、試行錯誤しつつ自分の力で行う行動を見守りながら、適切に援助する。すぐに助言することは適切ではない。 ✕

保育の心理学

事例問題 トレーニング

次の文は、ある保育所における【事例】である。

【事例】

　3歳児クラスのMちゃんとRちゃんが積み木と人形を使って遊んでいる。Mちゃんが積み木をつなぎ合わせ、建物の外壁に見立てた四角い囲いを作ろうとしているのを見て、Rちゃんも同じように積み木をつなげ、外壁を作った。その中に、テーブルやいすなどの家具に見立てた積み木を思い思いに置き、建物が完成した。その後、それぞれ人形を手にして、Mちゃんは人形をいすにすわらせて「そろそろ夜ご飯にしようかな」と言い、Rちゃんは人形を家の入口付近に立たせて「いらっしゃいませ！」と言った。Mちゃんは、2人で作った建物を「家」ととらえている一方、Rちゃんは「お店」ととらえており、お互いのイメージが共有されていないようであった。

問題

この事例におけるMちゃんとRちゃんの遊びを説明する言葉として、適切なものを○、不適切なものを×として答えなさい。

Q666　象徴遊び

Q667　構成遊び

Q668　受容遊び

Q669　平行遊び

Q670　連合遊び

Q671　協同遊び

パーテンは遊びを目的のない行動、一人遊び、傍観、平行遊び、連合遊び、協同遊びに分類しました。それぞれの子どもの行動と、遊びの分類の関係をしっかりおさえておきましょう。

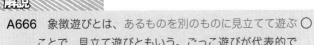

A666 象徴遊びとは、あるものを別のものに見立てて遊ぶ ○
ことで、見立て遊びともいう。ごっこ遊びが代表的で
ある。MちゃんとRちゃんは、積み木を家の外壁や
家具に見立て、人形を使ってごっこ遊びをしているこ
とから、2人の遊びを説明する言葉として適切である。

A667 構成遊びとは、積み木や折り紙などの素材を組み合 ○
わせて、思い描いた形を作って遊ぶことをいう。2人
の遊びを説明する言葉として適切である。

A668 受容遊びとは、目で見たり耳で聞いたりして、子ど ✕
もが受け身で楽しむ遊びをいい、絵本や紙芝居が代表
的である。MちゃんとRちゃんは、積み木を組み合
わせて建物を作る、人形でごっこ遊びをするなどして
主体的に遊んでいることから、2人の遊びを説明する
言葉として適切ではない。

A669 平行遊びとは、近くでまったく同じ遊びをしている ✕
のに、子ども同士の間には具体的交渉がない状態をい
う。MちゃんとRちゃんは、積み木を使って2人で
同じ建物を作っていることから、2人の遊びを説明す
る言葉として適切ではない。

A670 連合遊びとは、一緒には遊ぶが役割分担や共通の ○
目的がなく、全体としてはまとまりのない状態をいう。
MちゃんとRちゃんは、一緒になって同じ建物を作
り、人形を使いごっこ遊びをしているものの、建物の
イメージを共有しておらず、全体としてはまとまりがな
い。2人の遊びを説明する言葉として適切である。

A671 協同遊びとは、それぞれに役割分担があり、共通の ✕
目的をもって一緒に遊んでいる状態である。Mちゃ
んとRちゃんの間に役割分担や共通の目的があると
は言いがたいことから、2人の遊びを説明する言葉と
して適切ではない。

保育の心理学

Point 21 発達の区分

シュテルンによる言語発達の発達区分

第1期（片言期）	1歳～1歳半	1語文で自己の欲求を言い表す
第2期（命名期）	1歳半～2歳	2語文以上の多語文が使えるようになる
第3期（羅列期）	2歳～2歳半	過去・現在・未来の時間区分ができるようになる。短文を羅列し、繰り返す
第4期（模倣期）	2歳半～3歳	羅列式の文章の間に、接続詞や助詞が入る。幼児期特有の新造語をつくりだす

シュトラッツによる身体的発達からみた区分

乳児期	0～1歳	
中性児童期	第一充実期	1～4歳
	第一伸長期	4～7歳
両性児童期	第二充実期	男子7～12歳／女子7～10歳
	第二伸長期	男子12～16歳／女子10～14歳
	第三充実期	男子16～18歳／女子14～16歳
成熟期	男子18～20歳／女子16～20歳	

ピアジェの認知発達段階区分

感覚運動的知能の段階		0～1歳半ないし2歳	感覚器官から取り入れた刺激に対し運動で反応することにより、新しい場面に適応していく段階
前操作期	象徴的思考期	1歳半ないし2～4歳	目の前にない事物について、イメージ（表象）を用いて言葉によって考えることができるようになる（象徴機能）
	直観的思考期	4～7、8歳	表象化や概念化は発達してきているが、推理や判断は知覚的直観に依存している。しかし思考は未熟で、量や重さなどの判断は見かけに左右されてしまう
具体的操作期		7、8～11、12歳	具体的な事象であれば、論理的思考や推理が可能となる
形式的操作期		11、12～14、15歳	抽象的、仮説的な事象について、論理的に考えることができる

愛読者カード

2025年版 ユーキャンの保育士 これだけ!一問一答&要点まとめ

　ご購読ありがとうございます。読者の皆さまのご意見、ご要望
等を今後の企画・編集の参考にしたいと考えております。お手数
ですが、下記の質問にお答えいただきますようお願いします。

1. 本書を何でお知りになりましたか？
　　a.書店で　b.インターネット書店で　　c.知人・友人から
　　d.その他（　　　　　　　　　　　　　）

2. 多くの類書の中から本書を購入された理由は何ですか？
（
　　　　　　　　　　　　　　　　　　　　　　　　　　　　　　）

うら面へ続きます

3. 本書の内容で良かった点や悪かった点などご自由にお書きください

(   )

4. 併用しているテキストや問題集はありますか?

(   )

5. テキストや問題集をお選びになる決め手は何ですか? 2つまでお選びください

①価格　②執筆者(監修者)　③出版社・ブランド　④本のサイズ　⑤字の大きさ
⑥内容量(ページ数や問題数)　⑦オールカラーなど誌面の色味　⑧誌面のデザイン
⑨表紙のデザイン　⑩赤シートなど付録　⑪クチコミ(SNS・WEBなど)
⑫クチコミ(知人・友人など)　⑬その他(   )

6. 保育士試験について

①受験経験はありますか?　(a.無い　b.1回　c.2回以上)
②今までの学習方法は?　(a.市販本　b.通信教育　c.学校等)

7. 通信講座の案内資料を無料でお送りします。ご希望の講座に○印2つまでおつけください

保育士講座　6A	医療事務講座 6C	実用ボールペン字講座 W4

住所	〒□□□-□□□□		都道 府県		市 郡(区)
	アパート、マンション等、名称、部屋番号もお書きください				様 方

氏名	フリガナ		電話	市外局番　　市内局番　　番　号 (　　　)　　　　　　ー
			年齢	歳　　(男)・(女)

Q 9 QQRO＊＊01

◎ 愛着

母親をはじめとする養育者が、赤ちゃんの要求に適切に反応してあやしたりすることにより、赤ちゃんは養育者になついて笑ったり、姿が見えなくなると泣いてあとを追ったりするようになります。このような相互作用的な関係をボウルビィは愛着（**アタッチメント**）とよび、愛着の形成は乳幼児の発達に重要な意味をもつとしました。

● 乳児の愛着行動

呼ぶ　　　　叫ぶ　　　　泣く

養育者を呼ぶ行動

養育者のあと追い

養育者に接近する行動

養育者と手をつなぐ

抱きつく

養育者と接触を保つ行動

保育の心理学

得点 **UP** の　　**内的ワーキングモデル**

ボウルビィは乳幼児期の養育者との相互交流のなかで形成される認知の枠組のことを**内的ワーキングモデル**とよんだ。養育者（愛着対象）が自分に応答的であったか、**受容**されていたかどうかで形成されるモデルが決定し、その後の他者との関係にも影響するとした。

Point 23 乳幼児期の発達

◎「保育所保育指針」に示された 各時期の発達の特徴と保育士の関わり

● 乳児期

　視覚、聴覚などの感覚や、座る、はう、歩くなどの運動機能が著しく発達し、特定の大人との応答的な関わりを通じて、情緒的な絆が形成されるといった特徴がある。これらの発達の特徴を踏まえて、乳児保育は、愛情豊かに、応答的に行われることが特に必要である。

● 1歳以上3歳未満児

　歩き始めから、歩く、走る、跳ぶなどへと、基本的な運動機能が次第に発達し、排泄の自立のための身体的機能も整うようになる。つまむ、めくるなどの指先の機能も発達し、食事、衣類の着脱なども、保育士等の援助の下で自分で行うようになる。発声も明瞭になり、語彙も増加し、自分の意思や欲求を言葉で表出できるようになる。このように自分でできることが増えてくる時期であることから、保育士等は、子どもの生活の安定を図りながら、自分でしようとする気持ちを尊重し、温かく見守るとともに、愛情豊かに、応答的に関わることが必要である。

● 3歳以上児

　運動機能の発達により、基本的な動作が一通りできるようになるとともに、基本的な生活習慣もほぼ自立できるようになる。理解する語彙数が急激に増加し、知的興味や関心も高まってくる。仲間と遊び、仲間の中の一人という自覚が生じ、集団的な遊びや協同的な活動も見られるようになる。これらの発達の特徴を踏まえて、この時期の保育においては、個の成長と集団としての活動の充実が図られるようにしなければならない。

得点UPの ♥ 幼児期の世界観

幼児期のアニミズム（動植物や無生物も人間と同じように扱う）、実在論（空想と現実の区別ができない）などの世界観は、自己中心性に基づいている。

◎ 発達を決定づける要因の理論

　一人ひとり異なる性格や能力の獲得を決定づける発達要因には、**遺伝的要因（個体的要因）** と**環境的要因（経験的要因）** があるとされます。**ゲゼル**に代表される成熟説は、遺伝的要因を重く見て、学習や経験の効果を得るにはそれらを受け入れられる内的な成熟（**レディネス**）が必要だとします。反対に、**ワトソン**は学習優位説（環境優位説）を唱えました。また、**シュテルン**は、遺伝と環境の両方が合わさって発達するとした**輻輳説**を提唱しました。現在は両方が相互に作用し合うとする**相互作用説**が一般的です。

● 発達心理学の重要人物

・ポルトマン 動物学者の視点から、ほかの動物に比べ、人間が未熟な状態で生まれることを、**生理的早産**とよんだ
・トレヴァーセン 赤ちゃんが生後5〜6週間頃から養育者の感じていることを察知することに注目し、間主観性の概念を提示。自閉症の研究でも知られる児童心理学者
・ピアジェ 知能の発達は直線的ではなく、ある区切りごとに思考方法が変化し、質的に異なる認知構造（**シェマ**）が生じると考え、発達段階を区分した
・エリクソン フロイトの心理・性的発達理論に社会的な視点を加え、**ライフサイクル論**（漸成的発達理論）を提唱
・マーラー **分離個体化理論**で、はじめは自分と母親を一体のものと認識している子どもが、自分と母親を別の人間として認識し、個体性を確立するまでの過程を示す
・フライバーグ 乳幼児精神保健の第一人者。子どもに暴力を振るう母親が、乳幼児期に親から受けた記憶を思い起こしていることを発見し、**トラウマ**の世代間連鎖を指摘
・ビューラー 遊びを「機能の快をもたらす活動」と定義づけ、4種類に分類した

保育の心理学

ゴロ合わせの部屋

　マーラーの分離個体化理論は、「**まあ！ラー**油（マーラー）が**分離**、なんてこったい（**分離個体化理論**）」と覚えます。

子どもの保健

1 子どもの保健水準と健康指標

Q 672 「日本の将来推計人口」（令和5年推計）によると、わが国の65歳以上人口割合は2065年に50％を超えるとされている。 統計

Q 673 5年に一度実施される国勢調査は、人口動態統計に該当する。 統計

Q 674 合計特殊出生率は、一人の女性が一生の間に産む子どもの数を表しているとされる。 統計

Q 675 わが国の死亡率は、1990年頃から上昇傾向にある。 統計

Q 676 0歳の者の平均余命を、平均寿命という。 統計

Q 677 わが国の乳児死亡率は、第二次世界大戦後に急速に低下し、2022（令和4）年には、1.8まで低下している。 統計

Q 678 2022（令和4）年の乳児の死亡原因の第1位は、乳幼児突然死症候群である。 統計

Q 679 「簡易生命表」によると、2023（令和5）年のわが国の平均寿命は、男女ともに80歳を超えている。 統計

子どもの発育・発達に関して、またさまざまな事故についてしっかり押さえておきましょう。各疾患の症状と看護、予防法も重要です。

A 672 わが国の65歳以上人口割合は、2065年には38.4%に達するとされている。

A 673 国勢調査は人口静態統計に該当する。人口動態統計は、一定期間内（通常は1年間）に起こった人口の変化に影響する事項の統計である。

A 674 合計特殊出生率は、一人の女性が一生の間に産む子どもの平均数とされ、具体的には15〜49歳までの年齢別出生率の合計である。

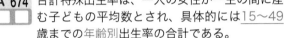

A 675 わが国の死亡率は1990年頃から上昇傾向で、これは高齢化のためとされている。

A 676 平均余命とは、ある年齢に達した者が期待できる生存年数をいう。平均寿命とは、0歳の者の平均余命のことである。

A 677 わが国の2022（令和4）年の乳児死亡率は1.8で、その低さは世界でもトップクラスの水準である。

A 678 2022（令和4）年の乳児の死亡原因の第1位は、先天奇形、変形及び染色体異常である。乳幼児突然死症候群は第4位である。

A 679 2023（令和5）年のわが国の平均寿命は、男性が81.09歳、女性が87.14歳である。

Q 680 2023（令和5）年10月1日現在のわが国の人口ピラミッドは、58〜60歳が大きなピークとなっている。 統計

Q 681 2023（令和5）年10月1日現在のわが国の総人口は、男性のほうが少ない。 統計

Q 682 近年のわが国の年齢3区分別人口では、老年人口の割合が最も高くなっている。 統計

Q 683 2022（令和4）年のわが国の死因別死亡順位は、第1位が悪性新生物である。 統計

Q 684 わが国の2023（令和5）年の合計特殊出生率は1.20で、人口置換水準を下回っている。 統計

Q 685 2022（令和4）年において、出生数が最も多い母親の年齢は25〜29歳である。 統計

Q 686 1〜4歳の幼児の2022（令和4）年の死亡原因で最も多いのは、不慮の事故である。 統計

Q 687 わが国の周産期死亡率の特徴は、早期新生児死亡が少ないことである。 統計

A 680 それぞれ第一次・第二次ベビーブーム期に生まれた<u>74〜76歳</u>、<u>49〜52歳</u>の2つのピークがみられる。 ✕

A 681 2023（令和5）年のわが国の総人口は約<u>1億2,435万人</u>で、男性が約6,049万人、女性が約6,386万人で、<u>男性のほうが少ない</u>。 ○

A 682 2023（令和5）年の、わが国の年齢3区分別人口の割合は、<u>年少人口</u>11.4%、<u>生産年齢人口</u>59.5%、<u>老年人口</u>29.1%である。 ✕

A 683 2022（令和4）年のわが国の死因別死亡順位は、第1位が<u>悪性新生物</u>、第2位が<u>心疾患</u>、第3位が<u>老衰</u>である。 ○

A 684 <u>人口置換水準</u>とは、現在の人口を維持していける合計特殊出生率をいい、わが国の場合2022（令和4）年時点では、<u>2.07</u>とされている。 ○

A 685 2022（令和4）年において出生数が最も多い母親の年齢は<u>30〜34歳</u>である。<u>25〜29歳</u>はそれに次いで多い。 ✕

A 686 2022（令和4）年の幼児の死亡原因で最も多いのは<u>先天奇形、変形及び染色体異常</u>である。不慮の事故は第2位である。 ✕

A 687 <u>周産期死亡</u>とは、妊娠満22週以後の死産と生後1週未満の<u>早期新生児死亡</u>を合計したものをいう。2022（令和4）年で、早期新生児死亡率は0.6、妊娠満22週以後の死産率は2.7である。 ○

子どもの保健

2 子どもの発育・発達と保育

Q 688 2022（令和４）年の平均出生時身長は、男子・女子ともに50cmを超えていない。 統計

Q 689 2022（令和４）年の出生時の体重をみると、男女ともに3,000〜3,500gで生まれる子どもの割合が最も多い。 統計

Q 690 身体測定で得られた数値の評価基準となるのは、「乳幼児身体発育値」である。 統計

Q 691 脳細胞は、軸索が髄鞘化することで成熟し情報を正確に伝えるようになる。

Q 692 出生時の頭蓋骨は縫合部が閉鎖していないため、大泉門と小泉門が開いた状態だが、生後すぐに大泉門が閉鎖する。

Q 693 スキャモンの器官別発育曲線で、思春期に成人の２倍近くに達するのは生殖器型である。 発達

Q 694 一般的に、「はいはい」の後に「つかまりだち」がみられるようになり、逆の場合には運動発達に問題がみられるようになることが多い。 発達

Q 695 虫歯予防や永久歯の萌出のためには、乳歯の歯と歯の間は多少の隙間があったほうがよい。

A 688 2022（令和4）年の平均出生時身長は、<u>男子</u>が49.3cm、<u>女子</u>が48.7cmである。　○

A 689 2022（令和4）年の出生時の体重をみると、<u>男子</u>は3,000〜3,500g、<u>女子</u>は2,500〜3,000gの割合が最も多い。　×

A 690 「乳幼児身体発育値」は、10年に1回<u>厚生労働省</u>が実施してきた「<u>乳幼児身体発育調査</u>」の結果に基づいている。令和5年からこども家庭庁が実施している。　○

A 691 脳細胞には情報伝達の役割があり、<ruby>軸索<rt>じくさく</rt></ruby>が<ruby>髄鞘<rt>ずいしょう</rt></ruby>化することで成熟し情報を正確に伝えるようになる。また、伝達の速度が<u>速くなる</u>。　○

A 692 生後すぐに閉鎖するのは<u>小泉門</u>である、大泉門は頭蓋骨の前方にあり、生後10か月頃まで大きくなり、その後徐々に小さくなって<u>1歳半頃</u>までに閉じる。　×

A 693 <u>思春期</u>に成人の2倍近くに達するのは胸腺やリンパ節などの<u>リンパ系型</u>である。　×

A 694 「<u>つかまりだち</u>」の後に「<u>はいはい</u>」がみられたとしても、それが運動発達の問題につながることが多いとはいえない。　×

A 695 乳歯の歯と歯の間に隙間がないと、歯磨きがしにくく<u>虫歯</u>になったり、永久歯が萌出した際に<u>歯と歯が重なる</u>。　○

213

Q 696 永久歯の形成は、出生直後から始まっている。 発達

Q 697 １～２歳の子どもで、体重計測時に動いて測れない場合には、大人が抱いて測り、その後大人の体重を差し引いてもよい。

Q 698 原始反射は、通常の子どもの場合、成長とともにほとんどみられなくなる。

Q 699 生後６～７か月の発達に問題がない乳児のカウプ指数が21で母親が心配している場合、保育士が、病院に行って栄養指導を受けるよう勧めた。

Q 700 カウプ指数は、「体重」と「身長の２乗」の値を用いて計算する。

Q 701 子どもは年齢が低いほど新陳代謝が盛んで、運動も活発なため呼吸数が多い。 発達

Q 702 胎児循環では卵円孔や動脈管が存在する。

Q 703 子どもの体温は、睡眠中の早朝が最も低く夕方が最も高く、腋窩温より直腸温のほうが低い。

Q 704 呼吸を数えるときには、呼吸音や顔色などにも注意する。

A 696 永久歯の形成は<u>妊娠中期</u>には始まり、<u>親知らず</u>については、最近は生えてこない場合が多い。　✕

A 697 体重測定時には<u>静止</u>していることが必要である。静止できない子どもは大人が<u>抱いて測る</u>とよい。　○

A 698 原始反射の消失時期は反射ごとに異なるが、<u>生後1年程度</u>でほとんどみられなくなる。　○

A 699 カウプ指数21は評価としては<u>肥満</u>である。ただし、発達に問題がない場合、保育士の対応としては、元気で発達も良好なら<u>気にする必要はない</u>と説明するのが適切である。　✕

A 700 <u>カウプ</u>指数は乳幼児の肥満判定に用いられる計算式である。学童期以降は、<u>ローレル</u>指数を用いる。　○

A 701 1分あたりの呼吸数は、新生児が<u>40〜50</u>であるのに対して、成人では<u>15〜20</u>と年齢が大きくなるほど少なくなる。　○

A 702 出生と同時に<u>胎児循環</u>が<u>肺呼吸</u>に変化し、心臓・血管系の解剖学的変化が生じる。　○

A 703 子どもの体温は、睡眠中の<u>早朝が最も低く</u>夕方が最も高く、腋窩温より<u>直腸温のほうが高い</u>。　✕

A 704 呼吸を数える際には、<u>ゼーゼー</u>と音を立てていないか、口唇の<u>チアノーゼ</u>はないかなどにも注意する。　○

Q 705 乳歯は、下あごの前歯が最初に生えることが多く、上あごから生えた場合は歯科医を受診する必要がある。

Q 706 小児の体温は代謝が活発なことなどから、成人より高い。

Q 707 新生児の場合、体温調節機能はすでに完成している。 発達

Q 708 乳児の呼吸は、幼児に比べて深くゆっくりである。

Q 709 乳児の胃は、縦長の筒状で幽門部の閉鎖機能が未熟なため、飲んだ乳を戻しやすい。 発達

Q 710 乳児の排便は、胃に食物が入ることで腸の蠕動運動が活発になり、脊髄反射によって行われる。 発達

Q 711 便意を言葉やしぐさで伝えられるようになるのは、2歳を過ぎてからである。 発達

Q 712 乳児期では、膀胱に尿がたまると反射的に排尿される。 発達

Q 713 胎便は、出生後12時間以降に出始め、2〜3日続く黒褐色または暗緑色の便をいう。 発達

A 705 乳歯は、<u>下あごの前歯</u>が最初に生えることが多いが、上あごから生えることもあり、<u>生える順番</u>を心配する必要はない。　✕

A 706 小児の平均体温は<u>36.2～37.4℃</u>で、成人よりも高い。　◯

A 707 新生児期は、体温調節機能が<u>未熟</u>である。このため、衣服や<u>環境温度</u>の調整に配慮しなければならない。　✕

A 708 乳児の呼吸は幼児に比べて<u>浅く速い</u>。　✕

A 709 乳児の胃は縦長の筒状（とっくり型）で<u>噴門部</u>の閉鎖機能が未熟である。このため、飲んだ乳を戻しやすい。　✕

A 710 脊髄反射により肛門の<u>括約筋</u>が開いて排便が起きる。排便を<u>制御</u>できるようになるのは、<u>1歳6か月</u>～2歳頃である。　◯

A 711 便意を<u>言葉</u>やしぐさで伝えられるようになるのは、<u>1歳6か月</u>～2歳頃である。　✕

A 712 乳児期では<u>排尿</u>の生理機能が<u>未熟</u>なため、膀胱に尿がたまると反射的に排尿される。1歳頃から、排尿の抑制が可能になる。　◯

A 713 胎便は、黒褐色または暗緑色の便で、<u>軟らかく</u>粘りがあり、<u>無臭</u>である。　◯

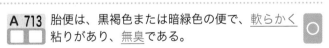

子どもの保健

217

3 子どもの疾患予防と対処

Q 714 「2018年改訂版　保育所における感染症対策ガイドライン」（2023年5月一部改訂）では、ウイルス、細菌等の病原体が人、動物等の宿主の体内に侵入し、発育または増殖することを感染というとしている。

Q 715 予防接種は感染症に対する予防対策であるが、妊娠している人には麻しん、風しんの予防接種を行うことはできない。

Q 716 ロタウイルス感染症の予防接種は定期接種であるが、感染力が弱い疾患のため、受けなくてもよいことを周知する。

Q 717 結核は、「予防接種法」によるA類疾病として定期予防接種が実施される。

Q 718 注射生ワクチン製剤同士の予防接種間隔は、20日以上が目安である。

Q 719 DPT-IPV-Hib五種混合ワクチンは、生後3〜12か月の間に6週間以上あけて2回接種する。

Q 720 BCGの標準接種期間は生後5〜8か月である。

A 714 感染の結果、何らかの臨床症状が現れた状態を<u>感染症</u>、<u>病原体</u>が体内に侵入してから症状が現れるまでの一定期間を<u>潜伏期間</u>としている。　○

A 715 予防接種不適当者として、<u>発熱</u>している人、重篤な急性疾患にかかっている人、予防接種液の成分で<u>アナフィラキシー</u>を起こしたことのある人、ポリオ、麻しん、風しんの対象者で妊娠している人があげられている。　○

A 716 ロタウイルス感染症は<u>感染力が強い</u>疾患であるため、接種を受けておくことが重要であることを周知する。　×

A 717 結核は「予防接種法」によるＡ類疾病として、<u>定期予防接種</u>の対象となっている。子どもの結核の予防には予防接種（<u>BCG</u>）が大切である。　○

A 718 注射生ワクチン同士の予防接種間隔は、<u>27日</u>以上とされている。その他のワクチンの組み合わせでは、接種間隔はとくに<u>設定されていない</u>。　×

A 719 DPT-IPV-Hib五種混合ワクチンは、初回接種として<u>生後2～90か月</u>の間に20日以上の間隔をおいて<u>3回</u>接種、初回接種終了から6か月～18か月の間隔をおいて1回接種する。　×

A 720 BCGの定期予防接種の期間は生後1歳までで、そのうち生後<u>5～8か月</u>が標準接種期間とされ、できるだけ<u>早い時期</u>に接種する。　○

Q 721 麻しんの特徴の一つにコプリック斑がある。

Q 722 風しんは、麻しんのような発しんが現れるが、2〜3日で症状が消失する。

Q 723 水痘の潜伏期間は、14〜16日である。

Q 724 流行性耳下腺炎（おたふくかぜ）は、ヒトヘルペスウイルス6B・7を病原体とする感染症である。

Q 725 B型肝炎の子どもへの感染は、母子感染が一般的である。

Q 726 水痘と帯状疱しんは、異なるウイルスの感染によって発症する。

Q 727 ヘルパンギーナの特徴的症状は、喉の軟口蓋にできる小水疱である。

Q 728 手足口病は、乳幼児に多くみられる感染症で、夏に流行することからプール熱ともよばれている。

A 721 コプリック斑は、麻しんに現れる特徴的症状である。口腔内の頬部の粘膜にできるケシ粒大の紅斑をともなう白斑をいう。 ○

A 722 風しんでは麻しんのような発しんのほか、38〜39℃の発熱、リンパ節の腫脹がみられる。症状は2〜3日で消失する。 ○

A 723 水痘は、発しんが出る前から感染力がある感染症であり、その潜伏期間は、14〜16日である。感染力が大変強いとされている。 ○

A 724 流行性耳下腺炎は、ムンプスウイルスを病原体とする感染症である。ヒトヘルペスウイルス6B・7を病原体とする感染症は、突発性発しんである。 ✕

A 725 B型肝炎は、血液・体液を介して感染する。子どもへの感染は、母子感染が一般的である。 ○

A 726 水痘と帯状疱しんは、水痘・帯状疱しんウイルスに感染することで発症する。水痘に罹ると、水痘・帯状疱しんウイルスが神経節に潜伏し、体力が低下しているときなどに帯状疱しんとなって現れる。 ✕

A 727 ヘルパンギーナは、高熱、咽頭痛、喉の軟口蓋に現れる小水疱などの症状がみられる。 ○

A 728 手足口病は主に夏に流行を繰り返しているが、プール熱とよばれるのは、咽頭結膜熱である。 ✕

子どもの保健

Q 729 新生児期から乳児早期に川崎病が発症すると、黄疸と白い便がみられる。

Q 730 乳児嘔吐下痢症は、ロタウイルスやノロウイルスに感染することで起きる。

Q 731 腸重積症になると、突然激しく泣き、嘔吐、粘液の混じった血便、腹部のしこりなどの症状がみられる。

Q 732 伝染性紅斑は、ヒトパルボウイルスB19によって起こる。

Q 733 「保育所における感染症対策ガイドライン」（2023年5月一部改訂）では、生後6か月未満の乳児がRSウイルス感染症にかかった場合、重症な呼吸器症状が生じるが、入院は必要としないとしている。

Q 734 小中学生に多くみられる起立性調節障害は、心臓の障害によって起きるものである。

Q 735 血友病は先天性の疾患で、遺伝子の異常によって起きるものである。

Q 736 甲状腺の疾患の一つである単純性甲状腺腫は、思春期の女子に多くみられる。

Q 737 免疫反応が、自分自身を攻撃する状態を作り出すのがアレルギー反応である。

A 729 新生児期から乳児早期に黄疸と白い便がみられるのは、胆道閉鎖症である。 ×

A 730 乳児嘔吐下痢症はロタウイルスやノロウイルスの感染によって起こり、冬季に流行し、嘔吐や下痢が激しいため脱水症状になることが多い。 ○

A 731 腸重積症は、イレウスのなかで最も重大な疾患である。乳児期に多くみられ、小腸が大腸の中に入って閉塞する、緊急を要する疾患である。 ○

A 732 伝染性紅斑は、ヒトパルボウイルスB19によって起こり、最初に風邪症状が見られ、次いで両方の頬に紅斑が現れる。 ○

A 733 「保育所における感染症対策ガイドライン」では、生後6か月未満の乳児がRSウイルス感染症にかかった場合、重症な呼吸器症状が生じ、入院管理が必要となる場合も少なくないとしている。 ×

A 734 起立性調節障害は、自律神経失調症の一種と考えられている。 ×

A 735 血友病は遺伝子の異常によって起きる先天性疾患で、小さな傷でも出血が止まりにくく、皮下出血も起こしやすい。 ○

A 736 単純性甲状腺腫は、思春期の女子に多くみられる甲状腺機能低下症の一つで、自然に消失する。 ○

A 737 体外から入った異物を排除しようとする仕組みが免疫反応で、これが自分自身の体に対して働くのがアレルギー反応である。 ○

Q 738 「保育所における感染症対策ガイドライン」（2023年5月一部改訂）では、朝、食欲があって機嫌がよくても、体温が37.2℃でいつもより高めの場合は、登園を控えるべきであるとしている。

Q 739 子どもの紫外線対策として日焼け止めを塗る場合、二度塗りすれば終日、その効果が保たれる。

Q 740 全身に発しんがある場合には、室温を高めに設定することが大切である。

Q 741 てんかんは、原因が不明なものもあり、ほとんど遺伝しない。

Q 742 けいれんを起こしているときには、呼吸が楽になるように衣服をゆるめ、顔を横に向ける。

Q 743 嘔吐しているときには刺激となるため、うがいをさせることも避けなければならない。

Q 744 子どもが脱水を起こしているときには、水を大量に飲ませる。

Q 745 乳児が脱水を起こしたときには、大泉門のへこみ方が手がかりとなる。

A 738 体温がいつもより高めでも、<u>食欲があって機嫌がよい</u>場合には、登園を控えなくてもよい。

A 739 日焼け止めは汗などで流れて効果がなくなる。商品に書かれている内容に沿って<u>塗りなおす</u>ことが必要である。

A 740 全身の発しんの場合、室温を<u>高め</u>に設定すると<u>かゆみ</u>が生じるため、室温は<u>低め</u>に設定し、氷枕で冷やすなどしてかゆみを抑える工夫をする。

A 741 てんかんは<u>大脳</u>に関係する疾患であるが、原因不明のものもある。熱性けいれんと同じで、<u>けいれん発作</u>が主症状である。

A 742 けいれんを起こしているときには、吐物やよだれが<u>気管</u>に入ることがあるため、<u>顔</u>は横に向ける。

A 743 嘔吐しているときには口のなかが不快になるため、<u>不快感</u>を取り除くために<u>うがい</u>をさせる。乳児の場合には、湿らせたガーゼでそっとふき取る。

A 744 子どもが脱水を起こしているときに水を大量に飲ませると、<u>体液のバランス</u>が崩れてしまう。このため、<u>電解質</u>の含まれている幼児用経口<u>電解質</u>液や、塩分を加えた野菜スープなどを与えるようにする。

A 745 乳児の場合、<u>大泉門</u>がまだ閉鎖していないため、<u>大泉門</u>の部分の皮膚は、脱水を起こすと<u>へこむ</u>。これが脱水かどうかを判断する手がかりとなる。

4 子どもの精神保健

Q 746 選択性緘黙は、言語能力は正常であるのに、家庭、保育所など、どのような場所でも話をしない状態をいう。

Q 747 マズローは、人間の欲求には段階性があるとし、それを欲求の5段階とした。 人物

Q 748 保護者が子どもの知的発達に必要なやりとりを行わないといった虐待を行った場合、知的発達を阻害することがある。

Q 749 ひきこもりの場合、精神障害をともなっていることはない。

Q 750 摂食障害になると、死に至ることはないものの体重減少による脱水症状や栄養失調が起きることがある。

Q 751 保育所に入所した当初の子どもは、養育者と離れることで分離不安を経験することになる。

Q 752 保育士が障害のある子どもを保育する場合には、子どもの障害の程度を正確に把握することが大切である。

Q 753 欲求不満状態に耐える力、克服する能力を欲求不満耐力という。

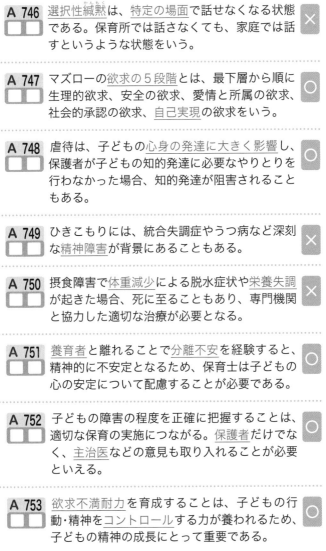

A 746 選択性緘黙は、特定の場面で話せなくなる状態である。保育所では話さなくても、家庭では話すというような状態をいう。　×

A 747 マズローの欲求の5段階とは、最下層から順に生理的欲求、安全の欲求、愛情と所属の欲求、社会的承認の欲求、自己実現の欲求をいう。　○

A 748 虐待は、子どもの心身の発達に大きく影響し、保護者が子どもの知的発達に必要なやりとりを行わなかった場合、知的発達が阻害されることもある。　○

A 749 ひきこもりには、統合失調症やうつ病など深刻な精神障害が背景にあることもある。　×

A 750 摂食障害で体重減少による脱水症状や栄養失調が起きた場合、死に至ることもあり、専門機関と協力した適切な治療が必要となる。　×

A 751 養育者と離れることで分離不安を経験すると、精神的に不安定となるため、保育士は子どもの心の安定について配慮することが必要である。　○

A 752 子どもの障害の程度を正確に把握することは、適切な保育の実施につながる。保護者だけでなく、主治医などの意見も取り入れることが必要といえる。　○

A 753 欲求不満耐力を育成することは、子どもの行動・精神をコントロールする力が養われるため、子どもの精神の成長にとって重要である。　○

子どもの保健

227

Q 754 反社会的行動として起きる退行的行動と、適応機制として起きる退行とは関係ないものである。

Q 755 指しゃぶりは乳児の60〜70%にみられるもので、2〜3歳頃になって消失しない場合でも特に問題にすることはない。 発達

Q 756 チックの原因は養育者の過干渉によるストレスである。

Q 757 チックの症状が現れた場合には、周囲の者が厳しく注意すると自分で止めることができる。

Q 758 常同運動障害でみられる常同的な自傷行為には、反復する頭打ちは含まれない。

Q 759 爪かみがひどい場合でも、禁止したり、罰を与えるというような対応は避けなければならない。

Q 760 弟や妹が生まれたことによって生じる退行的行動に対しては、周囲が厳しく接することが必要である。

Q 761 ナルコレプシーは、朝、目覚めることができない状態をいう。

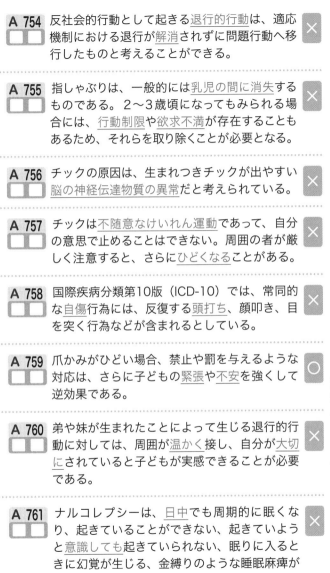

A 754 反社会的行動として起きる退行的行動は、適応機制における退行が解消されずに問題行動へ移行したものと考えることができる。 ×

A 755 指しゃぶりは、一般的には乳児の間に消失するものである。2〜3歳頃になってもみられる場合には、行動制限や欲求不満が存在することもあるため、それらを取り除くことが必要となる。 ×

A 756 チックの原因は、生まれつきチックが出やすい脳の神経伝達物質の異常だと考えられている。 ×

A 757 チックは不随意なけいれん運動であって、自分の意思で止めることはできない。周囲の者が厳しく注意すると、さらにひどくなることがある。 ×

A 758 国際疾病分類第10版（ICD-10）では、常同的な自傷行為には、反復する頭打ち、顔叩き、目を突く行為などが含まれるとしている。 ×

A 759 爪かみがひどい場合、禁止や罰を与えるような対応は、さらに子どもの緊張や不安を強くして逆効果である。 ○

A 760 弟や妹が生まれたことによって生じる退行的行動に対しては、周囲が温かく接し、自分が大切にされていると子どもが実感できることが必要である。 ×

A 761 ナルコレプシーは、日中でも周期的に眠くなり、起きていることができない、起きていようと意識しても起きていられない、眠りに入るときに幻覚が生じる、金縛りのような睡眠麻痺が起きるなどの睡眠障害をいう。 ×

子どもの保健

Q 762 自閉スペクトラム症は、発達早期に症状が現れる。

Q 763 自閉スペクトラム症児に多くみられる行動上の特徴の一つに、人と視線を合わせないというものがある。

Q 764 注意欠如・多動症（ADHD）の症状の一つに衝動性がある。

Q 765 限局性学習症（SLD）とは、知的発達の遅れがあるために、特定の分野の習得が困難な状態にあることをいう。

Q 766 学習障害児の場合、言葉による指示を理解することに問題はない。

Q 767 発達性協調運動症とは、筋肉や神経等に異常がないにもかかわらず協調運動や全身運動、微細運動などが他の子どもと比べて極端に苦手で、学習や日常生活に影響が生じる状態をいう。

Q 768 自閉スペクトラム症と診断されている子どもが耳をふさいで不快そうにしているときには、静かな環境に移動させる。

Q 769 注意欠如・多動症（ADHD）の場合、やるべきこと、予定、規則を視覚的に示すようにする。

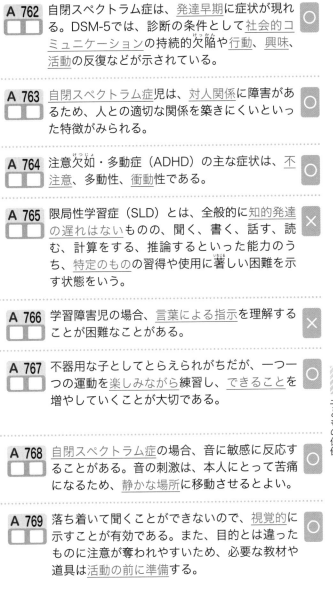

A 762 自閉スペクトラム症は、発達早期に症状が現れる。DSM-5では、診断の条件として社会的コミュニケーションの持続的欠陥や行動、興味、活動の反復などが示されている。 ○

A 763 自閉スペクトラム症児は、対人関係に障害があるため、人との適切な関係を築きにくいといった特徴がみられる。 ○

A 764 注意欠如・多動症（ADHD）の主な症状は、不注意、多動性、衝動性である。 ○

A 765 限局性学習症（SLD）とは、全般的に知的発達の遅れはないものの、聞く、書く、話す、読む、計算をする、推論するといった能力のうち、特定のものの習得や使用に著しい困難を示す状態をいう。 ×

A 766 学習障害児の場合、言葉による指示を理解することが困難なことがある。 ×

A 767 不器用な子としてとらえられがちだが、一つ一つの運動を楽しみながら練習し、できることを増やしていくことが大切である。 ○

A 768 自閉スペクトラム症の場合、音に敏感に反応することがある。音の刺激は、本人にとって苦痛になるため、静かな場所に移動させるとよい。 ○

A 769 落ち着いて聞くことができないので、視覚的に示すことが有効である。また、目的とは違ったものに注意が奪われやすいため、必要な教材や道具は活動の前に準備する。 ○

子どもの保健

231

Q 770 反応性愛着障害には、抑制型愛着障害と脱抑制型愛着障害とがある。

Q 771 夜驚は心身症の症状の一つで、夢の詳しい内容やエピソードは、明確に覚えている。

Q 772 3〜5歳を過ぎても続く夜尿症は一時的なもののため、特に配慮する必要はない。

Q 773 砂場で遊んだ後などに「汚れが落ちない」と言って頻繁に手を洗い、母親などに執拗に手が汚れていないかと確認する子どもに最も疑われる精神医学的問題として強迫性障害がある。

Q 774 過換気症候群の場合、血液が酸性に傾くことでさまざまな症状が現れる。

Q 775 解離性（転換性）障害は、青年期には女子より男子に多くみられる。

Q 776 解離性（転換性）障害の症状の一つとして、無感覚、視力障害などの感覚系症状がみられる。

Q 777 箱庭療法は、エインズワースによって考案されて、カルフによって解釈面が発展した療法である。 人物

Q 778 感覚統合療法では、滑り台やブランコ、トランポリンなどさまざまな遊具が治療に用いられる。

A 770 抑制型愛着障害は、すべての人に警戒・無関心を示す状態をいい、脱抑制型愛着障害は、誰に対してもかまわず愛着行動を示す状態をいう。 ○

A 771 夜驚は、夜間の睡眠中に突然不安がって飛び起きたり、泣き叫んだりするもので、夢の詳しい内容は思い出せず、エピソードも忘れている。 ×

A 772 夜尿症は3〜5歳ぐらいになると、自然に減少する。しかし、それ以降も続くようであれば、身体的・精神的な要因を考える必要がある。 ×

A 773 強迫性障害の症状として、不潔への恐怖から何回も手を洗う、戸締りが気になって何回も確かめる、スイッチを切ったかどうかを何回も確かめるなどがある。 ○

A 774 過換気症候群では呼吸が速くなることで血液がアルカリ性に傾き、さまざまな症状が現れる。 ×

A 775 解離性（転換性）障害は、青年期には男子より女子に多くみられる。 ×

A 776 感覚系症状のほか、失歩、失立、けいれんなどの運動系症状や、しゃっくりや急性尿閉塞などの内臓系症状もみられる。 ○

A 777 箱庭療法を考案したのは、ローエンフェルドである。カルフによって、解釈面が発展した。 ×

A 778 感覚統合療法では、さまざまな遊具のなかから興味をもった物で遊び、達成感を得ながら感覚情報の処理を覚えていく。 ○

子どもの保健

5 事故防止対策と救急処置

Q 779 保育所保育において、子どもの健康及び安全の確保は、子どもの生命の保持と健やかな生活の基本であり、一人一人の子どもの健康の持及び増進並びに安全の確保とともに、保育所全体における健康及び安全の確保に努めることが重要である。 指針

Q 780 心肺蘇生では、胸骨圧迫50回に対して人工呼吸を2回行う。

Q 781 医療的ケア児には、重症心身障害児も含まれている。

Q 782 食事中の誤嚥を防ぐためには、保育者が適切と考えるタイミングで食事を口に入れる。

Q 783 プール活動・水遊びの際には、監視者は監視に専念する。

Q 784 子どもの嘔吐物が床に付着したため、酸素系洗剤を希釈して消毒した。

Q 785 子どもがたばこを飲み込んだため、水を飲ませて吐かせた。

Q 786 睡眠中の乳児の窒息リスクを除去するため、定期的に子どもの呼吸や体位、睡眠状態を点検することは有効である。

A 779 「保育所保育指針」第3章「健康及び安全」の冒頭部分である。指針では、子どもが、自ら体や健康に関心をもち、心身の機能を高めていくことが大切であるとも述べている。 ○

A 780 心肺蘇生では、胸骨圧迫30回に対して人工呼吸を2回行う。 ✕

A 781 医療的ケア児には重症心身障害児も含まれており、個別的配慮が必要である。保育所等では医療的ケア児の受け入れが推進されている。 ○

A 782 食事中の誤嚥を防ぐためには、ゆっくり落ち着いて食べることができるよう子どものペースにあったタイミングで与える。 ✕

A 783 監視者は監視に専念して、監視エリア全域をくまなく監視し、動かない子どもや不自然な動きをしている子どもを見つける。 ○

A 784 嘔吐物が付着した床を消毒する際には、製品濃度6％の次亜塩素酸ナトリウムを0.1％に希釈して使用する。 ✕

A 785 たばこを飲み込んだ場合には、何も飲ませず、吐かせるのが原則である。水を飲ませると有害成分が溶け出すおそれがある。 ✕

A 786 睡眠中の乳児の窒息リスクを除去するために、子どもの呼吸や体位、睡眠状態を定期的に確認するほか、睡眠中は一人にしない、うつぶせ寝にしないなどの方法がある。 ○

6 母子保健と保健計画

Q 787 「母子保健法」による新生児とは、出生後1か月を経過しない乳児をいう。

Q 788 保健センターでは、地域の人々の病気を予防するため、健康な生活習慣に関する情報提供や予防接種の実施など、さまざまな保健活動を行っている。

Q 789 乳幼児健康診査の結果は重要であり、保育所は入所児の母子健康手帳を提出させなければならない。

Q 790 母子健康手帳は、妊娠したことを都道府県に届け出ることで交付される。

Q 791 母子健康手帳は平成24年度の新様式から、便色の確認の記録（便色カード）のページが設けられた。

Q 792 保育所は地域の医療機関から子どもの健康や安全に関する情報の提供を受けられる。

Q 793 保育所において保健計画を作成する場合、全職員の共通理解を深め、協力体制づくりを行うことが必要である。

Q 794 保健計画は、子どもへの配慮をクラスごとや月齢別に作成する。

A 787 １歳に満たない者を乳児といい、そのうち出生後28日を経過しない乳児を新生児という。 ✕

A 788 保健センターは、「地域保健法」において、一般的な健康相談、保健指導などさまざまな保健活動の事業を行うことが規定されている。 ◯

A 789 母子健康手帳の提出は義務ではないが、保護者の了解を得て、守秘義務について十分に配慮したうえであれば活用することができる。 ✕

A 790 医療機関を受診し、「母子保健法」に規定される妊娠の届け出を市町村（特別区を含む）に提出することで母子健康手帳が交付される。 ✕

A 791 家庭でも便の色を確認し、1か月児健診の際に胆道閉鎖症などを早期発見できるよう、便色カラーカードが母子健康手帳に添付されている。 ◯

A 792 保健センター、保健所、病院や診療所等の歯科領域を含む医療機関等から子どもの健康や安全に関する情報提供を受けられる。 ◯

A 793 専門職員だけでなく、すべての職員が保健計画の内容を理解し、協力しながら進めていくことが必要である。 ◯

A 794 子どもの成長・発達には個人差があり、年齢による違いも大きい。このため、クラス別、月齢別に作成することが必要である。 ◯

子どもの保健

事例問題 トレーニング ❶

次の文は、ある保育所の男児に関する【事例】である。

【事例】

　8月のある日、保育所に登園してきた5歳の男児が、いつものように保育士に挨拶をすることもなく、ボーっとしているように感じられた。付き添ってきた母親に昨日からの家での様子を確認したが、「特に変わったことはなかったように思う。朝ごはんはいつも食べないので、今日も食べさせていない」とのことだった。朝から暑い日だったので、水分補給についても確認したが、「夕べから何も飲んでいない」とのことだった。男児はその後、保育室で遊んでいたが、急にふらふらとして「気持ち悪い」と訴えて座り込んだ。

問題

　男児に対する対応と、母親への助言に関する以下の記述で、適切な記述を○、不適切な記述を×として答えなさい。

Q795　前日の夜から水分補給を行っていないことから熱中症を疑い、冷やした濡れタオルで体を冷やし、水分をとらせた。

Q796　保育室で「気持ち悪い」と訴えて座り込んだため、消化器系統の疾患を疑った。

Q797　すぐに母親に連絡を取り、迎えに来た母親に暑い日が続いているので、水分補給を行うことが大切だということを助言した。

Q798　母親に、朝ごはんを食べさせないことは虐待だと伝えた。

Q799　熱中症は急激に悪化することがあるため、安静にさせて注意深く様子を観察した。

解説

A795 前日の夜から水分補給を行っていないこと、朝食を ○
食べていないこと、朝から暑いことなどから考えて、
熱中症を疑うことは適切である。熱中症の場合、まず、
冷やした濡れタオルなどで体を冷やして体温を下げ、
水分補給を行うことが大切である。

A796 「気持ち悪い」と訴えたことから消化器系統の疾患 ×
を疑うこともできるが、登園時の母親との会話から、
まず熱中症を疑うほうが適切である。

A797 母親が熱中症についての知識に乏しいことも考え ○
られる。熱中症は死に至ることもあるため、水分補給
の大切さを伝えることは適切である。

A798 朝ごはんを食べさせていないのは、男児がいつも食 ×
べないからであり、母親との会話の内容だけで虐待と
決めつけるのは適切ではない。状況を詳しく聞くこと
が必要である。

A799 熱中症は急激に悪化することがあり、救急搬送を必 ○
要とすることもある。このため、安静にさせて注意深
く様子を観察することが大切である。

特に気温の高い夏には、熱中症の可能性があることを常
に留意しながら、子どもの状況と症状を確認することが
大切です。濡れタオルなどで身体を冷やす際には、わき
の下、太もものつけ根、首など全身の動脈が通る場所を
重点的に冷やすようにします。

子どもの保健

事例問題 トレーニング ❷

次の文は、ある男児に関する【事例】である。

【事例】

　C君（4歳、男児）は、活発な子どもで、走ることが得意である。他児に比べると、ボールを蹴ったり、投げたりする能力が極端に劣るが、自分が下手だというようには思っていない。筋肉や神経等に異常はみられない。ドッジボールで同じグループになった子どもが、保育士に「負けるからCくんと一緒のグループになりたくない」と言うこともある。

問題

この事例において、適切な対応を○、不適切な対応を×として答えなさい。

Q800　ドッジボールをするときには、C君がボールを投げなくてよいように最初からコートの中に入るように指示する。

Q801　C君が不器用なだけととらえ、とくに配慮しない。

Q802　C君と保育士で、ボール投げの練習に取り組んでみる。

Q803　C君は走ることが得意なので、走る能力を伸ばすように働きかけていく。

Q804　4歳児クラスに、ボールを使う運動を取り入れないようにする。

A800 C君の場合、筋肉や神経等に異常が見られないこと ✕ から、発達性協調運動障害が疑われる。発達性協調運動障害は、複数の動作を一つにまとめる協調運動や全身運動、微細運動が他児に比べると極端に下手な状態をいう。ボールを投げなくてよいように最初からコートの中に入るように指示すると、ボールを投げる回数が少なくなり練習にならないため、適切ではない。

A801 発達性協調運動障害は、単に不器用ととらえられが ✕ ちであるが、発達障害の一つである。ただし、できないことを楽しみながら練習することで不器用さが目立たなくなることが多い。配慮しないのではなく、ボール投げの練習を保育士が一緒に行う、家庭でも行ってもらうなどして少しずつ上手になるように配慮していくことが必要である。

A802 ボール投げの練習に取り組んでみることで、少しず ○ つ上手になることが考えられる。保育士とボール投げの練習に取り組んでみることは適切な対応である。

A803 C君の得意な部分を伸ばすように働きかけていく ○ ことは、C君にとってプラスになる。走ることを通して自信をつけ、ほかの運動にも積極的に取り組む意欲を持てるようにすることが大切である。

A804 他児がC君と一緒にドッジボールをするのを嫌 ✕ がっても、クラス全体にボールを使う運動を取り入れないようにするのは適切ではない。C君も含め、クラス全体でボールを使う運動を楽しめるよう取り組んでいくことが大切である。

子どもの保健

発達性協調運動障害によって生じる困難さには、不器用で物を落としたり物にぶつかったりすることや、道具を使う、字を書く、自転車に乗る、スポーツをするといった運動における遅さや不正確さなどがあります。

Point 25 子どもの身体発育の特徴

● 乳児の身体発育の特徴

身長	出生時は約50cm。1年で約1.5倍に
体重	出生時は約3kg。生後3～4日ほどの間は、排尿や皮膚からの水分蒸発などにより、生理的体重減少がみられるが、哺乳量の増加にともない、生後7～10日ほどで出生時の体重に戻る。生後3か月で出生時の2倍、1年で3倍ほどになり、生理的肥満となる
胸囲	出生時は頭囲のほうが大きい。生後2か月ほどで胸囲のほうがやや大きくなる
頭部	頭蓋骨には、すきま（泉門）があり、前側を大泉門、後ろ側を小泉門という。脱水を起こすと前側の大泉門がへこむ
乳歯	生後6～7か月頃から生え始め、満1歳頃に上下4本ずつとなる

● 幼児の身体的発育の特徴

身長	4歳前半で出生時の約2倍に。幼児期は体重よりも身長の伸びが大きく、体がほっそりしてくる
体重	2歳～2歳半で出生時の4倍、3歳半～4歳頃に5倍に
歯	乳歯は3歳頃に20本が生えそろい、5～6歳から抜け始め、永久歯が生えてくる。永久歯28本（親しらず4本を除く）が生えそろうのは20歳頃

◎ パーセンタイル値とは

　母子健康手帳には身長、体重などのパーセンタイル値が掲載されています。3パーセンタイル値未満および97パーセンタイル値以上の場合には、発育の偏りとみて経過観察が必要とされます。

◎ カウプ指数とは

　生後3か月～2歳以下の乳幼児の肥満・やせの判定には、身長体重曲線もしくはカウプ指数を用います。

● カウプ指数 $= \dfrac{\text{体重（g）}}{\text{身長（cm）}^2} \times 10$

● ウイルス感染症の症状と特徴

感染症名	病原体	症状・特徴
麻しん (はしか)	麻しんウイルス	かぜのような症状(くしゃみ・咳・鼻水)と発熱、発しん
風しん (三日ばしか)	風しんウイルス	発熱と同時に、麻しんのような発しんが現れる
水痘 (水ぼうそう)	水痘・帯状疱しんウイルス	発熱とともに、小さな発しんが全身に出現する
流行性耳下腺炎 (おたふくかぜ)	ムンプスウイルス	悪寒、発熱、頭痛、耳下腺(唾液腺)が腫れて痛む
手足口病	A群コクサッキーウイルスA16・A10・A6、エンテロウイルス71	主に手のひらや足の裏に赤褐色の盛り上がった発しんや水疱がみられる
咽頭結膜熱 (プール熱)	アデノウイルス	高熱、扁桃腺炎、結膜炎
インフルエンザ	インフルエンザウイルス(多種)	突然の高熱、関節痛、筋肉痛、咽頭痛など

※ほかに伝染性紅斑、B型肝炎などがある

● 細菌性感染症の症状と特徴

感染症名	病原体	症状・特徴
ブドウ球菌 感染症	ブドウ球菌	新生児剥脱性皮膚炎、伝染性膿痂しん(とびひ)、尿路感染症などを起こす
溶連菌(溶血性レンサ球菌) 感染症	溶血性レンサ球菌	扁桃炎、伝染性膿痂しん、中耳炎、肺炎などさまざまな症状がみられる。舌がいちご状に赤く腫れ、全身に鮮紅色の発しんがでる
破傷風	破傷風菌	毒素によって神経が侵され激しくけいれんしたり、呼吸筋を含めていろいろな筋の硬直を起こす

※ほかに細菌性赤痢、結核などがある

子どもの保健

得点 UP の　　　**感染経路**

感染症の感染経路には、飛沫感染、空気感染(飛沫核感染)、接触感染、経口感染がある。

◉ アレルギー疾患とは

本来ならば反応しなくてもよい無害なものに対しても、**過剰に免疫反応が働いてしまっている状態**のことをいいます。主なアレルギー疾患には以下のものがあります。

食物アレルギー	特定の食物を摂取したあとにアレルギー反応を介して皮膚や呼吸器などに生じる症状
アナフィラキシー	アレルギー反応により皮膚、消化器、呼吸器などの症状が複数同時かつ急激に出現した状態
気管支ぜん息	発作性にゼーゼーまたはヒューヒューという喘鳴を伴う呼吸困難を繰り返す疾患
アトピー性皮膚炎	皮膚にかゆみのある湿疹が出たり治ったりすることを繰り返す疾患
アレルギー性結膜炎	目の粘膜、特に結膜に、アレルギー反応による炎症が起こり目のかゆみや目やにンなどをおこす疾患
アレルギー性鼻炎	鼻の粘膜にアレルギー反応による炎症が起こり発作性のくしゃみ、鼻水などを引き起こす疾患

◉ 生活管理指導表とは

保育所において、アレルギー疾患を有し、**特別な配慮や管理が必要**な子どもの症状を正しく把握し、適切な対応を行うための**コミュニケーションツール**です。保護者の依頼を受けて、医師（子どものかかりつけ医）が記入します。

◉ 食物アレルギー有病率と原因食

保育所での食物アレルギー有病率・・・4.0%

● 食物アレルギー原因食の順位

第1位　鶏卵	第2位　牛乳	第3位　小麦
39.0%	21.8%	11.7%

出典：厚生労働省「保育所におけるアレルギー対応ガイドライン」（2019年改訂版）

◉ アレルギー除去食

アレルギーの原因となる食物が特定されている場合には、医師の指示に基づいて**除去食**を提供します。その際には、ほかの子どもの食事と一緒にならないように、皿の色で区別する、保育士が子どもに直接手渡すなどの配慮が必要になります。

◉ 予防接種とは

　予防接種とは、ワクチンを注射することにより病原体への免疫を人工的につくるものです。従来の**義務接種**から、1994（平成6）年の「予防接種法」の一部改正により、接種を積極的にすすめる**勧奨接種**に移行しています。

● 予防接種の種類

ワクチンの種類	接種方法	例
生ワクチン	病気にならない程度に弱毒化させた病原体を、生きたまま接種する方法	麻しん・風しん混合ワクチン、BCG、水痘ワクチン、ロタウイルスワクチン
不活化ワクチン	病原体そのものや毒素を不活化させ（殺し）て接種する方法	**インフルエンザワクチン**、コレラワクチン、百日咳ワクチン、**ポリオワクチン**、B型肝炎ワクチン、Hibワクチン
トキソイド（不活化ワクチンの一種）	抗原性を残して無毒化したものを接種する方法	ジフテリアトキソイド、破傷風トキソイド

● 主な定期予防接種の接種対象年齢

	ワクチン名	接種年齢のめやす
生ワクチン	麻しん・風しん**混合（MR）ワクチン**	生後12～24か月未満に1回、5～7歳の間（小学校就学の1年前から就学前日まで）に1回の合計2回
	BCG*1	生後1歳までに1回
	水痘ワクチン	生後12～36か月の間に2回
不活化ワクチン	日本脳炎	生後6～90か月の間に2回＋6か月以上あけて1回、9～13歳未満の間に1回
	五種**混合ワクチン（Ⅰ期）***2	生後2～90か月の間に3回＋6か月以上あけて1回
	二種**混合ワクチン（Ⅱ期）***3	11～13歳未満に1回
	小児用肺炎球菌ワクチン	生後2～60か月未満に1～3回＋1回
	HPV*4**ワクチン**	12～16歳の間に3回（女子のみ）
	B型肝炎ワクチン	1歳までに27日以上あけて2回＋1回目から139日以上あけて1回

*1 結核のワクチン
*2 百日咳、ジフテリア、破傷風、Hib、不活化ポリオ混合ワクチン
*3 ジフテリアと破傷風混合ワクチン
*4 子宮頸がん（ヒトパピローマウイルス感染症）予防ワクチン。

子どもの保健

245

● 子どもの主な精神障害

発達障害	対人的なコミュニケーションが困難な広汎性発達障害（自閉スペクトラム症：自閉症やアスペルガー症候群など）、多動性が特徴的な注意欠陥多動性障害（注意欠如・多動症）など
精神障害	脳の適切なコントロールができなくなり、現実を見失う。妄想や幻聴を起こす統合失調症、自殺の原因となるうつ病など。子どもの場合も大人と同じように、ストレスが大きな要因となる
神経症性障害	長期にわたるストレスにより、神経過敏な反応が定着したもの。不登校に結びつきやすい適応障害、手洗いを何度もする等の強迫性障害など

● 自閉スペクトラム症（ASD）と注意欠如・多動症（ADHD）の症状の違い

自閉スペクトラム症	注意欠如・多動症（注意欠陥・多動性障害）
相手の気持ちがつかめない、言葉の使用が苦手、常同行動（同じ行動を意味もなく繰り返す）、特定の物事への強いこだわり、感覚過敏	多動性（じっと座っているのが苦手で、動き回る）、集中が困難、衝動的な行動
知的障害をともなわないものを、高機能広汎性発達障害という。アスペルガー症候群がこれに含まれる	知的障害をともなわない

◎ 心的外傷後ストレス障害（PTSD）とは

事故、災害、暴力など強いショックが心のダメージとなり、不眠、食欲不振、感覚麻痺などの症状を引き起こすことを、**心的外傷後ストレス障害（PTSD）**といいます。

◎ てんかん発作とは

脳の神経細胞（ニューロン）の活動に異常が起こり、意識を失ったり、けいれんを起こしたりするものです。原因不明の**特発性てんかん**と、病気が原因の**症候性てんかん**があり、発作を繰り返し起こす場合は受診が必要です。

得点 UP の　　　　**摂食障害**

過剰なダイエットなどが原因で起こる**摂食障害**は、**女性**に多く、10代は**拒食症**が多く20代では**過食症**が多くなる。

Point 30 精神療法

◎ 精神療法の方法

　心の問題を解決していく治療法には、**医学的治療法**と**心理療法**の2つのアプローチがあります。

● 医学的治療法
　薬物療法や外科手術など。

● 心理療法

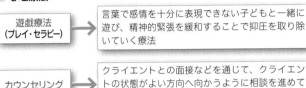

遊戯療法 （プレイ・セラピー）	言葉で感情を十分に表現できない子どもと一緒に遊び、精神的緊張を緩和することで抑圧を取り除いていく療法
カウンセリング	クライエントとの面接などを通じて、クライエントの状態がよい方向へ向かうように相談を進めていく方法
ケースワーク	社会的側面からみて問題をもつ個人や家族に個別的にはたらきかけ、社会環境に適応するように援助する方法
精神分析療法	無意識のなかに抑圧された問題を意識化・表面化させることで心理的葛藤を解放し、心因性の症状を治療する
心理劇 （サイコ・ドラマ）	あるテーマをめぐって劇を演じるなかで、個人の自発性・創造性を促し、情緒的緊張や不安を解消しようとするもの

※そのほか催眠療法、集団療法（グループ・セラピー）、行動療法、箱庭療法、感覚統合療法、音楽療法などがある

得点 UP の 　**心理療法の重要人物**

　遊戯療法を始めたアンナ・フロイトは、19世紀末に精神分析療法を創始したオーストリアの精神医学者ジグムント・**フロイト**の娘である。また、カウンセリングの非指示的療法を提唱したのはアメリカの心理学者**ロジャーズ**、心理劇はルーマニア生まれの精神医学者**モレノ**が創始した。

子どもの保健

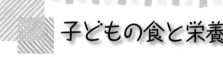

子どもの食と栄養

1 子どもの発育と栄養

Q 805 乳幼児期の子どもについては、身体の成長を優先し、食べたいときに食べたいものを与えることが必要である。

Q 806 小児は、成人に比べて単位体重当たりの基礎代謝量が高い。

Q 807 生後5～6か月頃になると上下の唇を閉じることができるようになる。 発達

Q 808 生後7～8か月頃になると舌が上下に動くようになり、前歯が萌出すると舌の中央に口の中の食物を集めることができるようになる。 発達

Q 809 生後9～11か月頃になると、食べるときに口唇は左右対称の動きになる。

Q 810 乳児期には、胃にレンニンが分泌されるため、乳汁に含まれているカゼインが凝固する。

Q 811 乳児の胃の容量は、成人の約7％である。

Q 812 胆汁は、十二指腸に分泌されて脂肪を消化するはたらきがある。

乳幼児期の栄養と食生活を中心に理解を深めましょう。「食生活指針」「日本人の食事摂取基準」「授乳・離乳の支援ガイド」の理解も大切です。

A 805 乳幼児期から<u>規則正しい</u>食生活や<u>バランス</u>のとれた食事をとることが、子どもの心身両面からの健康につながる。 ✕

A 806 小児は、成人に比べて<u>単位体重当たり</u>の基礎代謝量や、発育・発達や活動に要するエネルギーの割合が非常に<u>高い</u>。 ◯

A 807 生後5〜6か月頃になると上下の唇を閉じられるようになり、嚥下が上達する。 ◯

A 808 生後<u>7〜8か月頃</u>になると、舌が上下に動くようになり、前歯が萌出して食べ物を舌の中央に集めることができるようになり、<u>上あごと舌の間</u>で離乳食をつぶせるようになる。 ◯

A 809 生後9〜11か月頃になると、口唇は<u>左右非対称</u>の動きになり、<u>噛んでいる方向に寄っていく</u>。 ✕

A 810 <u>レンニン</u>は凝乳酵素で、<u>乳児期</u>にのみ分泌される。 ◯

A 811 乳児の胃の容量は成人の<u>約7％</u>、6歳児は成人の<u>約30％</u>弱である。このため、1回の食事摂取量は年齢が低いほど少ない。 ◯

A 812 胆汁は、肝臓で作られ十二指腸に分泌されるが、消化酵素ではない。脂肪を<u>乳化</u>することで<u>消化を助ける作用</u>がある。 ✕

子どもの食と栄養

249

Q 813 大腸には消化機能がほとんどなく、水分の吸収が主な役目である。

Q 814 マルターゼは、腸液に分泌される糖質分解酵素である。

Q 815 膵臓のランゲルハンス島から分泌されるインスリンには、血糖値を上げるはたらきがある。

Q 816 肝臓には、解毒作用や造血作用などのはたらきがあるが、これらのはたらきは小児期から完成されている。

Q 817 膵液に分泌される糖質分解酵素は、膵リパーゼ（ステアプシン）である。

Q 818 唾液に含まれる唾液アミラーゼは、でんぷんをショ糖とブドウ糖に分解する酵素である。

Q 819 最初の永久歯の萌出は、3歳頃である。 発達

Q 820 脂質は、1gあたり約9kcalのエネルギーを生じる。

A 813 大腸では、主に水分の吸収が行われる。このため、水溶性の無機質は、カルシウムと鉄を除いて大腸で吸収される。 ○

A 814 腸液に分泌される糖質分解酵素には、マルターゼ、ラクターゼ、スクラーゼがある。 ○

A 815 インスリンは血糖値を下げるはたらきがある。血糖値を上げるはたらきがあるのは、膵臓のランゲルハンス島から分泌されるグルカゴンである。 ×

A 816 小児期は、肝臓が未発達で、解毒作用や造血作用なども未発達である。 ×

A 817 膵液に分泌される糖質分解酵素は、膵アミラーゼである。膵リパーゼ（ステアプシン）は、膵液に分泌される脂肪分解酵素である。 ×

A 818 唾液アミラーゼは、口腔に分泌されて、でんぷんを麦芽糖に分解する酵素である。 ×

A 819 永久歯は、6歳頃から生え始める。3歳頃は、20本の乳歯がすべて生えそろう時期である。 ×

A 820 脂質は、1gあたり約9kcalのエネルギーを生じる。エネルギー源としてだけではなく脂溶性ビタミンの吸収を促したり、ホルモンや細胞膜を構成したりする働きもある。 ○

子どもの食と栄養

2 栄養の基礎知識

Q 821 果糖（フルクトース）は、単糖類である。

Q 822 麦芽糖は、マルターゼによって消化される。

Q 823 ガラクトースは、乳幼児の大脳の発育に重要なはたらきをする成分である。

Q 824 炭水化物には糖質と食物繊維があり、糖質は1gあたり9kcalのエネルギーを供給し、一部は、グリコーゲンとして体内に貯えられる。

Q 825 食物繊維は、ヒトの消化酵素で消化されない食品中の難消化性成分の総体である。

Q 826 たんぱく質には、炭素、水素、酸素、窒素が含まれている。

Q 827 体内で合成することができず、食物から摂取しなければならないアミノ酸を、非必須アミノ酸という。

Q 828 たんぱく質は、体内の酵素、ホルモン、免疫体の成分だが、エネルギー源として利用されることはない。

A 821 単糖類は、糖分子1つで構成される糖質で、ほかにブドウ糖やガラクトースなどがある。果物やはちみつに含まれている。 ○

A 822 麦芽糖は、小腸の上皮細胞において、消化酵素のマルターゼによって消化される。 ○

A 823 ガラクトースは、乳糖として母乳に多く含まれ、脳や神経組織の構成成分になる。 ○

A 824 炭水化物には、ヒトの消化酵素で消化されやすい糖質と消化されにくい食物繊維があり、糖質は1gあたり4kcalのエネルギーを供給する。一部は、肝臓や筋肉でグリコーゲンに変換されて体内に貯えられる。 ×

A 825 食物繊維には水溶性と不溶性の2種類あり、ヒトの消化酵素で消化されない食品中の難消化性成分の総体とされている。 ○

A 826 たんぱく質には、炭素、水素、酸素、窒素が含まれている。5大栄養素のうち窒素が含まれているのは、たんぱく質のみである。 ○

A 827 体内で合成することができず、食物から摂取しなければならないアミノ酸は必須アミノ酸とよばれる。 ×

A 828 たんぱく質は、1gあたり約4kcalのエネルギーを産生する栄養素である。エネルギー源としても利用される。 ×

子どもの食と栄養

253

Q 829 リノール酸、リノレン酸、アラキドン酸、EPA、DHAの５つを必須脂肪酸という。

Q 830 マグネシウムは骨や歯の構成成分で、乳製品に多く含まれる。

Q 831 亜鉛は、核酸の代謝やたんぱく質の合成、味蕾の正常な発育などに関わっている。

Q 832 カルシウムは、筋肉の収縮を調節するはたらきがある。

Q 833 鉄はヘモグロビンの成分で、レバーに多く含まれている。

Q 834 ヨウ素は、甲状腺ホルモンの構成成分であり、昆布に多く含まれている。

Q 835 ビタミンCには、カルシウムやリンの吸収利用を助け、骨や歯の形成を促すはたらきがある。

Q 836 ビタミンKは、血液凝固作用を助けるはたらきがある。

A 829 必須脂肪酸とは、<u>体内</u>で合成されず、生命維持や発育に欠かすことができないため<u>食物から</u>とる必要がある脂肪酸をいう。<u>リノール酸</u>、<u>リノレン酸</u>、<u>アラキドン酸</u>、<u>EPA</u>、<u>DHA</u>は必須脂肪酸である。<u>アラキドン酸</u>は、体内でリノール酸から合成されるが、必要量を満たすほどでないため必須脂肪酸に含まれる。　○

A 830 マグネシウムは、<u>小麦胚芽</u>や豆類、<u>穀類</u>、魚介類などに含まれている。骨や歯の構成成分で乳製品に多く含まれているのは<u>カルシウム</u>である。　×

A 831 <u>亜鉛</u>は、体内にごくわずかに存在している。欠乏すると<u>味覚障害</u>、乳児では皮膚炎を起こす。　○

A 832 カルシウムは<u>筋肉の収縮</u>に関係しているため、不足すると<u>テタニー</u>とよばれる手足のけいれんの原因となる。　○

A 833 鉄は、体内に存在している量の約60〜70%が血液中の赤血球<u>ヘモグロビン</u>に存在している。<u>レバー</u>やしじみ、小松菜、ひじき、のりなどに多く含まれている。欠乏すると貧血を起こす。　○

A 834 ヨウ素は、<u>甲状腺ホルモン</u>の成分である<u>サイロキシン</u>に含まれている。昆布など海藻類に多く含まれている。　○

A 835 カルシウムやリンの吸収利用を助け、骨や歯の形成を促すのはビタミンDである。<u>紫外線</u>に当たることでも<u>生成</u>されるため、適度に日光に当たることも必要である。　×

A 836 ビタミンKは血液凝固に必要な<u>プロトロンビン</u>の生成を<u>正常に保つ</u>はたらきがある。　○

3 日本人の食事摂取基準（2020年版）

Q 837 「日本人の食事摂取基準」では、炭水化物の食事摂取基準はすべての年齢に示され、エネルギー比率で50〜70％とすることが望ましいとしている。

Q 838 「日本人の食事摂取基準」では、20歳代女性の脂質は、エネルギー比率で20〜30％としている。

Q 839 「日本人の食事摂取基準」の栄養素の5つの指標は、推定平均必要量、推奨量、目安量、耐容上限量、目標量である。

Q 840 「日本人の食事摂取基準」では、幼児期の脂質の総エネルギー量に対する比率を、目標量として30〜40％エネルギーとしている。

Q 841 「日本人の食事摂取基準」では、乳児のビタミンDの目安量は、日照を受ける機会の多少によって2種類示されている。

Q 842 「日本人の食事摂取基準」では、18歳以上のナトリウムの目標量は食塩相当量で、男性が7.5g/日未満、女性が6.5g/日未満としている。

Q 843 「日本人の食事摂取基準」では、マグネシウムの通常の食品からの摂取の場合には、耐容上限量が設定されていない。

Q 844 「日本人の食事摂取基準」では、カルシウムの妊婦・授乳婦付加量は＋0としている。

A 837 炭水化物の食事摂取基準が示されているのは、1歳以上についてで、50〜65%が望ましい。 ✕

A 838 総エネルギーに占める脂質の割合を、脂肪エネルギー比率ともいう。20歳代女性の脂肪エネルギー比率は、20〜30%エネルギーとしている。 ○

A 839 十分な科学的根拠が得られず推定平均必要量が算定できない場合に、目安量で算定される。 ○

A 840 幼児期（1〜5歳）の脂肪エネルギー比率（脂質の総エネルギー量に対する比率）は、目標量として20〜30%エネルギーである。 ✕

A 841 乳児のビタミンDの目安量は、男女ともに適度な日照を受ける環境にある乳児と、そうでない乳児で同じである。 ✕

A 842 塩分のとり過ぎを予防するために、18歳以上のナトリウムの目標量は食塩相当量で、男性は7.5g/日未満、女性は6.5g/日未満としている。 ○

A 843 サプリメントなど通常の食品以外からの摂取量の耐容上限量は、成人で1日あたり350mg、小児では1日あたり体重1kgにつき5mgとしている。 ○

A 844 妊娠・授乳中はカルシウムの吸収率が上がり、通常の摂取量でもよいということから、妊婦・授乳婦付加量は±0としている。 ○

Q 845 「日本人の食事摂取基準」では、学童期の年齢区分を2区分としている。

Q 846 「日本人の食事摂取基準」で、推定エネルギー必要量の値が最も高い年齢は、男女ともに15〜17歳である。

Q 847 「日本人の食事摂取基準」では、生活習慣病の発症予防・重症化予防に加え、高齢者の低栄養予防やフレイル予防も視野に入れて策定された。

Q 848 「日本人の食事摂取基準」では、妊婦のエネルギー付加量は身体活動レベルにより異なる。

Q 849 「日本人の食事摂取基準」では、食物繊維の目標量は18歳以上から設定されている。

Q 850 「日本人の食事摂取基準」では、脂質異常症の重症化予防を目的としたコレステロールの望ましい量が記載されている。

Q 851 「日本人の食事摂取基準」では、妊娠を計画している女性は、胎児の神経管閉鎖障害のリスク低減のためにヨウ素を付加的に摂取することが望ましいとしている。

A 845 学童期を6〜7歳、8〜9歳、10〜11歳の3つに区分している。 ×

A 846 男性の推定エネルギー必要量の値が最も高い年齢は15〜17歳だが、女性は12〜14歳が最も高い値を示している。 ×

A 847 「日本人の食事摂取基準」では、フレイルを健常な状態と要介護状態の中間的な段階と位置づけている。 ○

A 848 妊婦のエネルギー付加量は、身体活動レベルⅠ、Ⅱ、Ⅲともに初期が+50、中期が+250、後期が+450である。 ×

A 849 中年期以降の循環器疾患と、若い頃の生活習慣との関係が示唆されているため、2020年版からは3〜5歳からの目標量が設定された。 ×

A 850 脂質異常症の重症化予防を目的としたコレステロールの量として、1日あたり200mg未満に留めることが望ましいことが記載されている。 ○

A 851 妊娠を計画している、または妊娠の可能性がある女性は、胎児の神経管閉鎖障害のリスク低減のために葉酸を摂取することが望まれるとしている。 ×

子どもの食と栄養

Q 852 「国民健康・栄養調査」によると、20～59歳の女性のうち、肥満の者の割合は30～39歳が最も多い。 統計

Q 853 妊娠を計画している女性や妊娠の可能性がある女性は、葉酸を1日当たり400μg摂取することが望まれるとされているが、「国民健康・栄養調査」によると、15歳以上49歳未満の女性の年齢階級ではすべてでその数値を上回っている。 統計

Q 854 「国民健康・栄養調査」によると、1～6歳の鉄の摂取量は、男女ともに4mg以上である。 統計

Q 855 「国民健康・栄養調査」によると、1～6歳女児のビタミンC摂取量は、100mgを上回っている。 統計

Q 856 「国民健康・栄養調査」によると、20歳以上の食塩摂取量の平均値は、「日本人の食事摂取基準」に示されている目標量を超えている。 統計

Q 857 「国民健康・栄養調査」によると、20～29歳女性の朝食欠食状況は、欠食している者が20％を超えていない。 統計

Q 858 「国民健康・栄養調査」によると、動物性たんぱく質がたんぱく質全体に占める割合は、平均で28.6％となっている。 統計

Q 859 「国民健康・栄養調査」によると、炭水化物がエネルギーに占める割合は、平均で70％を超えている。 統計

A 852 女性の肥満の者の割合は、50〜59歳が20.7%と最も多く、次いで40〜49歳が16.6%となっている。 ✕

A 853 葉酸の1日当たりの摂取量は、15歳以上49歳未満の女性の年齢階級すべてで400μgを下回っている。 ✕

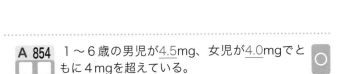

A 854 1〜6歳の男児が4.5mg、女児が4.0mgとともに4mgを超えている。 ◯

A 855 1〜6歳女児のビタミンCの摂取量は49mgのため100mgを下回っている。 ✕

A 856 「日本人の食事摂取基準」では、20歳以上の食塩摂取量を男性7.5g未満、女性6.5g未満としている。「国民健康・栄養調査」の20歳以上の平均値は、男性10.9g、女性9.3gである。 ◯

A 857 20〜29歳女性のうち、朝食を欠食している者は18.1%である。 ◯

A 858 動物性たんぱく質がたんぱく質全体に占める割合は54.3%である。 ✕

A 859 炭水化物がエネルギーに占める割合は、平均で56.3%である。成人でみると、男女ともに「日本人の食事摂取基準（2020年版）」に示されている50〜65%の範囲内である。

5 健康な食生活のあり方

Q 860 「食生活指針」では、「動物、植物、魚由来の脂肪をバランスよくとりましょう」としている。

Q 861 「食生活指針」では、「魚肉などたんぱく質食品をしっかりと」としている。

Q 862 「食生活指針」では、食事に行事食を取り入れることを勧めている。

Q 863 「食生活指針」では、「適度な運動としっかりとした食事で適正体重の維持を」としている。

Q 864 「妊産婦のための食事バランスガイド」では、妊娠中期の1日分付加量を5つの区分においてすべて＋1としている。

Q 865 「食事バランスガイド」のコマのなかに示されている料理・食品例を合わせると、おおよそ1,500kcalとなる。

Q 866 3色食品群では、赤のグループを「主に体を作るもとになる」とし、具体的な食品を魚・肉・卵・大豆としている。

Q 867 日常的に穀類や菓子類、清涼飲料水等を多量に摂取しているとビタミンAが不足する。

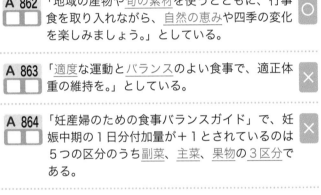

A 860 ☐☐ 「食生活指針」の「食塩は<u>控えめ</u>に、脂肪は<u>質と量</u>を考えて。」における「食生活指針の実践」の中で示されている。 ◯

A 861 ☐☐ 「穀類を<u>毎食</u>とって、<u>糖質</u>からのエネルギー摂取を適正に保ちましょう。」としている。 ✕

A 862 ☐☐ 「地域の産物や<u>旬の素材</u>を使うとともに、行事食を取り入れながら、<u>自然の恵み</u>や四季の変化を楽しみましょう。」としている。 ◯

A 863 ☐☐ 「<u>適度</u>な運動と<u>バランス</u>のよい食事で、適正体重の維持を。」としている。 ✕

A 864 ☐☐ 「妊産婦のための食事バランスガイド」で、妊娠中期の1日分付加量が＋1とされているのは5つの区分のうち<u>副菜</u>、<u>主菜</u>、果物の<u>3区分</u>である。 ✕

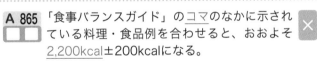

A 865 ☐☐ 「食事バランスガイド」の<u>コマ</u>のなかに示されている料理・食品例を合わせると、おおよそ<u>2,200</u>kcal±200kcalになる。 ✕

A 866 ☐☐ 3色食品群は、食品を<u>赤・黄・緑</u>のグループに分類し、黄は「主に体を動かす<u>エネルギー</u>のもとになる」、緑を「主に<u>体の調子を整える</u>もとになる」としている。 ◯

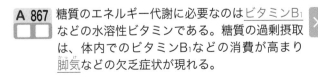

A 867 ☐☐ 糖質のエネルギー代謝に必要なのは<u>ビタミンB$_1$</u>などの水溶性ビタミンである。糖質の過剰摂取は、体内でのビタミンB$_1$などの消費が高まり<u>脚気</u>などの欠乏症状が現れる。

6 妊娠・授乳期の食生活

Q 868 「妊娠前からはじめる妊産婦のための食生活指針」（令和3年3月）では、「主食」を中心にエネルギーをしっかりと、としている。

Q 869 「妊娠前からはじめる妊産婦のための食生活指針」では、からだづくりの基礎となる主菜は、十分に摂取することとしている。

Q 870 妊娠期間中の推奨体重増加量は、妊娠前の体格別に設定されている。

Q 871 妊娠中の太りすぎは妊娠糖尿病や妊娠高血圧症候群などの発症や分娩異常につながるため、体重は増やさないようにしなければならない。

Q 872 妊娠中の飲酒は、アルコールが胎盤を通過しにくいため胎児に影響を与えることはない。

Q 873 妊娠中は、鉄欠乏性貧血を起こしやすいため、ヘム鉄から鉄を摂取すると効率がよい。

Q 874 授乳中の喫煙は母乳の分泌量を減少させ、乳児がたばこの煙を吸うと乳幼児突然死症候群（SIDS）を発症する可能性がある。

Q 875 授乳婦は、できるだけ早く標準体重に戻すことが必要なため、摂取エネルギーを減らすことが大切である。

A 868 妊娠中、授乳中には必要なエネルギーも<u>増加</u>するため、<u>炭水化物の豊富な主食</u>をしっかり摂りましょう、としている。　〇

A 869 <u>多様な主菜を組み合わせて</u>、たんぱく質を十分に摂取するようにしましょう、としている。　✕

A 870 妊娠期間中の推奨体重増加量は、妊娠前の体格別（<u>低体重、普通体重、肥満1度、肥満2度以上</u>）に設定されている。　〇

A 871 <u>低出生体重児</u>が生まれないようにするためにも、<u>適正</u>な体重増加が必要である。　✕

A 872 妊娠中のアルコール摂取は、アルコールが胎盤を<u>容易に通過</u>し、多量に摂取した場合には胎児の低体重など<u>胎児性アルコール症候群</u>を招くため、注意が必要である。　✕

A 873 妊娠中は胎児に鉄分が移行するため、吸収率のよい<u>ヘム鉄</u>から摂取すると<u>効率的</u>である。　〇

A 874 喫煙は胎児や乳児に悪影響を与えるため、<u>妊婦</u>だけでなく<u>授乳婦</u>も禁煙することが必要である。　〇

A 875 授乳婦の栄養不足の状態が続くと<u>母乳</u>の成分や母親の健康に影響を与える。標準体重に戻すためには<u>消費</u>エネルギーを増やすことが大切である。　✕

子どもの食と栄養

7 乳児期の栄養と食生活

Q 876 乳児用調製粉乳は、月齢によって与える調乳濃度が異なる。

Q 877 初乳に含まれているたんぱく質やミネラルは、成熟乳に比べて少ない。

Q 878 冷凍母乳の解凍は、流水または、ぬるま湯で行う。

Q 879 調製粉乳は、母乳の組成に近づけてつくられている。

Q 880 乳児用調製液状乳（液体ミルク）は、未開封であっても冷蔵保存しなければならない。

Q 881 保育所などで調乳を行う場合に使用する湯は、いったん沸騰させ、50℃以上を保つ。

Q 882 室温に置き、調乳後2時間以内に飲まなかったミルクは、すべて廃棄する。

Q 883 「平成27年度乳幼児栄養調査」によると、0〜2歳児の保護者が授乳について困ったことで最も多いのは「子どもの体重の増えがよくない」である。

A 876 乳児用調製粉乳は、月齢によって用いる種類が異なるが、調乳濃度は一定になるようにする。 ✕

A 877 初乳に含まれているたんぱく質やミネラルは、成熟乳に比べて多く、乳糖は少ない。 ✕

A 878 免疫グロブリンA濃度の低下を防ぐため、流水または、ぬるま湯で解凍し、体温以上に温めない。 ○

A 879 乳児にとっては母乳の組成が適しているため、調製粉乳は母乳の組成に近づけてつくられている。 ○

A 880 乳児用調製液状乳は、未開封であれば常温保存が可能である。このため、災害時などのためにストックしておくことができる。 ✕

A 881 WHO/FAOから出されたガイドラインでは、沸騰させた後、70℃以上を保つこととされている。 ✕

A 882 WHO/FAOから出されたガイドラインでは、室温に置いた場合は、2時間以内に飲まなかったミルクをすべて廃棄するとしている。ただし、冷却後、常に5℃以下で保存できる冷蔵庫に入れた場合には、24時間保存することができるとしている。 ○

A 883 授乳について困ったこととして回答の割合が最も高かったのは、「母乳が足りているかどうかわからない」である。 ✕

子どもの食と栄養

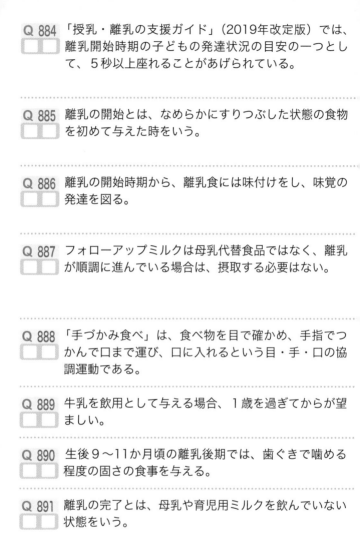

Q 884 「授乳・離乳の支援ガイド」（2019年改定版）では、離乳開始時期の子どもの発達状況の目安の一つとして、5秒以上座れることがあげられている。

Q 885 離乳の開始とは、なめらかにすりつぶした状態の食物を初めて与えた時をいう。

Q 886 離乳の開始時期から、離乳食には味付けをし、味覚の発達を図る。

Q 887 フォローアップミルクは母乳代替食品ではなく、離乳が順調に進んでいる場合は、摂取する必要はない。

Q 888 「手づかみ食べ」は、食べ物を目で確かめ、手指でつかんで口まで運び、口に入れるという目・手・口の協調運動である。

Q 889 牛乳を飲用として与える場合、1歳を過ぎてからが望ましい。

Q 890 生後9～11か月頃の離乳後期では、歯ぐきで噛める程度の固さの食事を与える。

Q 891 離乳の完了とは、母乳や育児用ミルクを飲んでいない状態をいう。

A 884 首のすわりがしっかりして寝返りができ、5秒以上座れる、スプーンなどを口に入れても舌で押し出すことが少なくなる、食べ物に興味を示すことなどがあげられている。 ○

A 885 離乳の開始は生後5〜6か月頃が適当とされ、乳児の摂食機能の発達などを考慮してなめらかにすりつぶした状態の食物から始める。 ○

A 886 離乳の開始時期には調味料は必要ない。離乳の進行に応じて食塩や砂糖などの調味料を使用する場合にも、薄味で調理する。 ✕

A 887 離乳が順調に進まず鉄欠乏のリスクが高い場合、適当な体重増加が見られない場合に、医師に相談の上で、必要に応じて活用すること等を検討する。 ○

A 888 離乳の完了する頃には、1日3回の食事リズムを大切にし、生活リズムを整えて、手づかみ食べにより自分で食べる楽しみを増やす。 ○

A 889 牛乳は鉄欠乏性貧血の予防の観点から、1歳を過ぎてから与えるのが望ましい。 ○

A 890 生後9〜11か月頃の離乳後期では、歯ぐきでつぶせる程度の固さの食事を与える。 ✕

A 891 離乳の完了とは、母乳や育児用ミルクを飲んでいない状態ではなく、形のある食物を噛みつぶすことができるようになり、エネルギーや栄養素の大部分が母乳または育児用ミルク以外の食物から摂取できるようになった状態をいう。 ✕

子どもの食と栄養

269

8 幼児期の栄養と食生活

Q 892 幼児期になると消化吸収機能が発達するため、食べ物の質や調理方法は大人を基準に考えればよい。

Q 893 幼児期には、食事を通して正しい生活習慣を形成することが重要である。

Q 894 幼児期には間食を食事の一部ととらえ、間食でエネルギー、栄養素、水分の補給を行うことが望ましい。

Q 895 間食を与える場合には、水分補給も考慮しなければならない。

Q 896 1歳児では、前歯を使って噛み切ることができても、奥歯ですりつぶすことはできない。 発達

Q 897 「平成27年度乳幼児栄養調査」によると、起床時間が遅くなるにつれて朝食を食べる子どもの割合が増加する。

Q 898 「平成27年度乳幼児栄養調査」によると、子どもだけで食べる「子食」は、朝食より夕食のほうがその比率は高い。

Q 899 幼児が夜10時以降に就寝すると、起床時刻が遅くなり、朝食を満足にとれないという結果につながる。

A 892 幼児期は消化吸収機能が<u>未熟</u>である。このため、食べ物の<u>質</u>や<u>調理方法</u>、<u>与え方</u>には十分に配慮しなければならない。 ✕

A 893 生活のリズムに適した<u>食事回数</u>や食事量を考慮しながら、食事を通して<u>正しい生活習慣</u>が形成されるように配慮する。 ○

A 894 幼児期は<u>胃</u>の容量が少なく、３食で十分に栄養を摂取できないことが多い。このため、<u>間食</u>を食事の一部としてとらえることが必要である。 ○

A 895 幼児期は<u>代謝</u>が激しい時期のため、<u>補食</u>として間食を与える際は<u>水分補給</u>も考慮しなければならない。 ○

A 896 １歳児は前歯と第一乳臼歯(だいいちにゅうきゅうし)が生える時期であるが、<u>奥歯</u>が生えそろっていないため、硬いものや<u>弾力</u>のあるものをすりつぶすことができない。 ○

A 897 起床時間が遅くなるにつれて、朝食を食べる子どもの割合は<u>減少</u>する。 ✕

A 898 子どもだけで食べる「<u>子食</u>」は、夕食より<u>朝食のほうが</u>その比率は高い。 ✕

A 899 夜遅く就寝することは起床時刻を遅くし、朝食を満足にとれない原因となる。<u>夕食</u>、<u>就寝時刻</u>ともに遅くならないようにする。 ○

Q 900 「楽しく食べる子どもに〜食からはじまる健やかガイド〜」では、学童期の「食べる力」の一つとして「家族や仲間と一緒に食べる楽しさを味わう」をあげている。

Q 901 「楽しく食べる子どもに〜食からはじまる健やかガイド〜」では、発育・発達過程において配慮すべき側面をあげている。

Q 902 「楽しく食べる子どもに〜食からはじまる健やかガイド〜」では、思春期の目標の一つとして「一緒に食べる人の食べる速さに合わせて、楽しく食べることができる」をあげている。

Q 903 「学校給食摂取基準」を適用する場合、地域の実情にも配慮することとしている。

Q 904 「令和5年度全国体力・運動能力、運動習慣等調査」によると、朝食を「毎日食べる」と回答した小・中学生が、それ以外を回答した小・中学生よりも、体力合計点が低い傾向がみられた。

Q 905 2023（令和5）年の小学校の完全給食の学校数比の実施率は、100％となっている。 統計

Q 906 「学校給食法」では、学校給食の目標として「行事食・郷土食などとの触れ合いを通して、地域の人々との交流を深めること」を掲げている。

Q 907 学校給食のない日は、学校給食のある日に比べて児童生徒のカルシウム摂取量が少ない。

A 900 [×]
学童期の「食べる力」の一つとして、「家族や仲間と一緒に食事づくりや準備を楽しむ」があげられている。問題文は幼児期についての記述である。

A 901 [○]
発育・発達過程において配慮すべき側面として、心と身体の健康、人との関わり、食の文化と環境、食のスキルをあげている。

A 902 [×]
「楽しく食べる子どもに〜食からはじまる健やかガイド〜」では、思春期の目標の一つとして「一緒に食べる人を気遣い、楽しく食べることができる」をあげている。

A 903 [○]
個々の児童生徒の健康状態及び生活活動の実態並びに地域の実情等に十分配慮し、弾力的に適用することとしている。

A 904 [×]
朝食を「毎日食べる」と回答した小・中学生が、それ以外を回答した小・中学生よりも、体力合計点で高い傾向がみられた。

A 905 [×]
2023（令和5）年の小学校の完全給食の実施率は学校数比で98.8%となっている。

A 906 [×]
学校給食の目標として、「我が国や各地域の優れた伝統的な食文化についての理解を深めること」などの7つが掲げられている。

A 907 [○]
学校給食では毎日牛乳が提供されているためカルシウム摂取量が多いとされている。

273

Q 908　離乳開始前の子どもが保育所に入所した場合、保育所で初めて食べる食物がないように保護者と連携する。

Q 909　子どもが発熱しているときには、水分の多いさっぱりとしたものを与えるようにする。

Q 910　嘔吐のみられる子どもの場合、吐き気がおさまったらすぐに普通の食事を与えてもよい。

Q 911　体調不良の子どもの食事は濃い味つけにし、体力が低下しないように肉を食べさせる。

Q 912　重度の障害があって、摂食機能にも異常がともなう場合には、高エネルギー、高たんぱく質の食事内容とする。

Q 913　嚥下機能に障害がある障害児の食事はとろみをつけるとむせやすいので避ける。

Q 914　食事中にむせた場合には、誤嚥の可能性がある。

Q 915　口唇裂の場合、乳汁を上手に吸うことができないために、むせたり、鼻からもれてしまいやすい。

A 908 離乳開始前の子どもの場合、食物アレルギー未発症、食物未摂取の場合があるため、保育所で初めて食べる食物がないようにすることが大切である。　⭕

A 909 子どもが発熱しているときには、発汗とともに脱水や食欲不振、全身倦怠感を引き起こすため、水分の多いさっぱりとしたものを与える。　⭕

A 910 嘔吐のみられる子どもの場合、吐き気がおさまったら、幼児用経口電解質液を少しずつ与え、その後、刺激がなく水分の多い軟らかい食べ物を少量ずつ与え回復を待つ。　❌

A 911 体調不良の子どもの場合、消化のよい豆腐や白身魚などを食べさせ、味つけは薄味にする。　❌

A 912 重度の障害があり、摂食機能にも異常がともなう場合には食事量が減り、エネルギー量やたんぱく質量が不足しやすいため、高エネルギー、高たんぱく質の食事内容とする。　⭕

A 913 嚥下機能に障害がある場合には、とろみをつけると、口の中でまとまりやすい。ペースト状にするのも有効である。　❌

A 914 誤嚥とは、飲食物が気道に入ることをいう。食事中にむせたときには誤嚥の可能性がある。　⭕

A 915 口唇裂は、唇の上の部分が閉じていないため、空気がもれて乳汁が上手に吸えずにむせる、口から鼻に逆流してもれる場合がある。　⭕

子どもの食と栄養

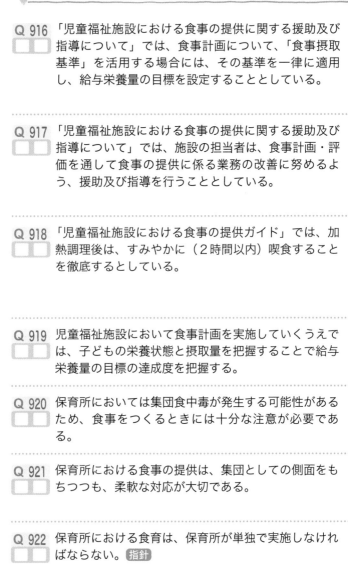

11 児童福祉施設での食生活

Q 916 「児童福祉施設における食事の提供に関する援助及び指導について」では、食事計画について、「食事摂取基準」を活用する場合には、その基準を一律に適用し、給与栄養量の目標を設定することとしている。

Q 917 「児童福祉施設における食事の提供に関する援助及び指導について」では、施設の担当者は、食事計画・評価を通して食事の提供に係る業務の改善に努めるよう、援助及び指導を行うこととしている。

Q 918 「児童福祉施設における食事の提供ガイド」では、加熱調理後は、すみやかに（2時間以内）喫食することを徹底するとしている。

Q 919 児童福祉施設において食事計画を実施していくうえでは、子どもの栄養状態と摂取量を把握することで給与栄養量の目標の達成度を把握する。

Q 920 保育所においては集団食中毒が発生する可能性があるため、食事をつくるときには十分な注意が必要である。

Q 921 保育所における食事の提供は、集団としての側面をもちつつも、柔軟な対応が大切である。

Q 922 保育所における食育は、保育所が単独で実施しなければならない。 指針

A 916 「施設や子どもの特性に応じた適切な活用を図ること」としている。特に、障害や疾患を有するなどの場合には、「個々人の発育・発達状況、栄養状態、生活状況等に基づき給与栄養量の目標を設定すること」としている。 ✕

A 917 「常に施設全体で、食事計画・評価を通して食事の提供に係る業務の改善に努めるよう、援助及び指導を行うこと」とし、定期的に施設長を含む関係職員による情報の共有を図ることとしている。 ✕

A 918 「児童福祉施設における食事の提供ガイド」の「調理実習（体験）等における食中毒予防のための衛生管理の留意点」に示されている。また、十分な加熱を基本とし、容易に加熱できる献立にすることが望ましいとしている。 ◯

A 919 給与栄養量の目標の達成度を評価するためには子どもの栄養状態や摂取量、残食量等を把握することとされている。 ✕

A 920 保育所における集団食中毒の予防には、食材の鮮度に注意、十分に洗浄・加熱、調理器具の洗浄・消毒などの注意が必要である。 ◯

A 921 年齢・個人差が大きいこと、離乳食、食物アレルギーや障害のある子ども等への配慮が必要なことなどから柔軟な対応が大切である。 ◯

A 922 保育所における食育は、「保護者や地域の多様な関係者との連携および協働の下で、食に関する取組が進められること」としている。 ✕

子どもの食と栄養

277

Point 31 栄養素の基礎知識

◎ 糖質とは

糖質は消化がよく、**エネルギー源**として重要で、1日に摂取するエネルギーの約 **60%** を占めています。

● 糖質の種類

種類	代表的なもの	成り立ち
単糖類	ブドウ糖（グルコース）、果糖（フルクトース）、ガラクトース	1個の糖分子から成り立っている
少糖類	ショ糖（スクロース）、麦芽糖（マルトース）、乳糖（ラクトース）	単糖類が2個から10個くらい結合したもの（2個結合したものは二糖類という）
多糖類	でんぷん、グリコーゲン	単糖類が多数結合したもの

◎ 脂質とは

脂質は主にアルコール類と脂肪酸からなり、**単純脂質**、**複合脂質**、**誘導脂質**に分類されます。

● 脂質のはたらき

①**エネルギー源**となる
②**貯蔵脂肪**となる
③**必須脂肪酸源**である（体内で必要量が合成されず、食物から摂取する必要がある**リノール酸**や EPA などを必須脂肪酸という）

◎ たんぱく質とは

たんぱく質は、約 20 種類の**アミノ酸**が多数結合したもので、体の主成分や**エネルギー**となります。

得点 UP の

糖質・脂質・たんぱく質の構成成分

糖質・脂質は、炭素・水素・酸素で構成されているが、たんぱく質は、炭素・水素・酸素・窒素で構成されている。

◎「日本人の食事摂取基準」栄養素の指標とは

　「日本人の食事摂取基準」では、摂取不足を避けるため「推定平均必要量」、（半数の人が必要量を満たす量）と「推奨量」（ほとんどの人が充足している量）を示していますが、この両方を示すことができない場合は「目安量」（栄養状態の維持に十分な量）を示し、過剰摂取が望ましくないものには「耐容上限量」、生活習慣病の回避に目標とすべき摂取量に「目標量」を示します。

◎「日本人の食事摂取基準（2020年版）」策定のポイント

・きめ細やかな栄養施策推進のため、50歳以上について、50〜64歳、65〜74歳、75歳以上の3区分とした
・若いうちからの生活習慣病予防推進のため、飽和脂肪酸、カリウムに小児の目標量を設定

●0〜5歳の推定エネルギー必要量（kcal/日）

	0〜5か月	6〜8か月	9〜11か月	1〜2歳	3〜5歳
男	550	650	700	950	1,300
女	500	600	650	900	1,250

出典：厚生労働省「日本人の食事摂取基準（2020年版）」

●妊婦・授乳婦の推定エネルギー必要量の付加量（kcal/日）

妊婦初期	妊婦中期	妊婦後期	授乳婦
+50	+250	+450	+350

出典：厚生労働省「日本人の食事摂取基準（2020年版）」
※付加量については、運動量での違いは設定されていない
※「日本人の食事摂取基準」は、2025年版が2024年度中に公表される予定

得点UPの 乳幼児の食事の状況

　「平成27年度乳幼児栄養調査結果の概要」によると、2〜6歳児の保護者の回答では、
・間食は「時間を決めてあげることが多い」が最も多い
・穀類は毎日2回以上摂取している割合が最も多い
・家族そろって食事をする子どもの割合は、朝食より夕食のほうが多いとなっている。

子どもの食と栄養

Point 33 授乳期・離乳期の栄養

　授乳の栄養方法には、母乳栄養、人工栄養、混合栄養（母乳と人工乳を合わせて行う）があります。また、離乳は、生後5、6か月くらいから開始します。

◎ 母乳栄養の特徴

①乳児に必要な栄養素のすべてを適切な割合で含み、ほとんど全部が消化吸収されるので、代謝負担がきわめて少ない

②感染抑制物質（免疫グロブリンA・細胞成分・ラクトフェリン・リゾチームなど）を含むので、乳児に抵抗力がつく

③乳酸菌（ビフィズス菌）の増殖を促し、腸内での雑菌の繁殖を抑えるとともに、ミネラルの吸収、ビタミンB群の合成を促す

◎ 人工栄養の特徴

　母乳（人乳）の栄養に近い自然の食品として、牛乳、山羊乳や乳製品があります。

◎ 牛乳と母乳の比較

牛乳のほうが多い成分…たんぱく質、灰分、**カルシウム**、ビタミンB_1、B_2

母乳と牛乳でほぼ同じ成分…エネルギー、脂質、鉄

母乳のほうが多い成分…乳糖、ビタミンA、ナイアシン、ビタミンC

◎ 離乳とは

◎ 離乳食の進め方の目安

生後	食べ方の目安	食事の目安（調理形態）
5、6か月頃	1日1回1さじずつ始める	なめらかにすりつぶした状態
7、8か月頃	1日2回食	舌でつぶせる固さ
9か月〜11か月頃	1日3回食に進めていく	歯や歯ぐきでつぶせる固さ
12か月〜18か月頃	1日3回の食事リズムを大切に	噛みつぶせる固さ

◎ 離乳の完了（「授乳・離乳の支援ガイド」）

離乳の完了とは、形のある食物をかみつぶすことができるようになり、エネルギーや栄養素の大部分が母乳又は育児用ミルク以外の食物から摂取できるようになった状態をいう。その時期は生後12か月から18か月頃である。食事は1日3回となり、その他に1日1〜2回の補食を必要に応じて与える。母乳又は育児用ミルクは、子どもの離乳の進行及び完了の状況に応じて与える。

●「食育基本法」の重要条文

第1条（目的）この法律は＜略＞国民が生涯にわたって健全な心身を培い、豊かな人間性をはぐくむための食育を推進することが緊要な課題となっていることにかんがみ＜略＞現在及び将来にわたる健康で文化的な国民の生活と豊かで活力ある社会の実現に寄与することを目的とする。

第2条　食育は、食に関する適切な判断力を養い、生涯にわたって健全な食生活を実現することにより、国民の心身の健康の増進と豊かな人間形成に資することを旨として、行われなければならない。

第7条　食育は、我が国の伝統のある優れた食文化、地域の特性を生かした食生活、環境と調和のとれた食料の生産とその消費等に配意し、＜略＞農山漁村の活性化と我が国の食料自給率の向上に資するよう、推進されなければならない。

●「保育所保育指針」の「食育の推進」

（1）保育所における食育は、健康な生活の基本としての「食を営む力」の育成に向け、その基礎を培うことを目標とすること。

（2）子どもが生活と遊びの中で、意欲をもって食に関わる体験を積み重ね、食べることを楽しみ、食事を楽しみ合う子どもに成長していくことを期待するものであること。

（3）乳幼児期にふさわしい食生活が展開され、適切な援助が行われるよう、食事の提供を含む食育計画を全体的な計画に基づいて作成し、その評価及び改善に努めること。栄養士が配置されている場合は、専門性を生かした対応を図ること。

（4）子どもが自らの感覚や体験を通して、自然の恵みとしての食材や食の循環・環境への意識、調理する人への感謝の気持ちが育つように、子どもと調理員等との関わりや、調理室など食に関わる保育環境に配慮すること。

（5）保護者や地域の多様な関係者との連携及び協働の下で、食に関する取組が進められること。また、市町村の支援の下に、地域の関係機関等との日常的な連携を図り、必要な協力が得られるよう努めること。

（6）体調不良、食物アレルギー、障害のある子どもなど、一人一人の子どもの心身の状態等に応じ＜略＞適切に対応すること。＜略＞

得点UPの　「楽しく食べる子どもに〜保育所における食育に関する指針」で目標とされる子ども像

お腹がすくリズムのもてる子ども	食べたいもの、好きなものが増える子ども	一緒に食べたい人がいる子ども	食事づくり、準備にかかわる子ども	食べものを話題にする子ども

子どもの食と栄養

保育実習理論

1 音楽の活動

Q 923 幼児に適した楽器は、打楽器である。

Q 924 音の高低や強弱、速さ、音色などが分かるようになるのは、おおむね5歳である。

Q 925 大太鼓や小太鼓などは、膜鳴楽器である。

Q 926 「保育所保育指針」の「表現」では、感じたことや考えたことを自分なりに表現する力を養うとしている。 指針

Q 927 「保育所保育指針」の1歳以上3歳未満児の「表現」では、「音楽に親しみ、歌を歌ったり、簡単なリズム楽器を使ったりなどする楽しさを味わう」としている。 指針

Q 928 「保育所保育指針」の3歳以上児の「表現」では、感じたことや考えたことなどを、保育士等に教えられながら音や動きなどで表現する、としている。 指針

Q 929 幼児に自由表現をさせることによって、幼児の感受性を高め、全身運動へ導き、創造性の発展へとつなげていくことが大切である。

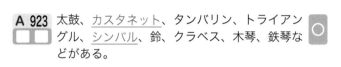

音楽・造形・言語（言葉）の技術と実践について幅広く理解することが大切です。また、保育所や児童福祉施設の役割や機能について理解することも必要です。

A 923 太鼓、カスタネット、タンバリン、トライアングル、シンバル、鈴、クラベス、木琴、鉄琴などがある。 ○

A 924 音の高低や強弱などが分かるようになるのは、おおむね4歳である。おおむね5歳では、メロディーを聞き分けることなどが可能になる。 ×

A 925 膜鳴楽器（まくめいがっき）とは、楽器の本体に張られている膜を叩いて鳴らす楽器である。 ○

A 926 感じたことや考えたことを自分なりに表現することを通して、豊かな感性や表現する力を養い、創造性を豊かにするとしている。 ×

A 927 「歌を歌ったり、簡単な手遊びや全身を使う遊びを楽しんだりする」としている。設問の記述は、3歳以上児の内容である。 ×

A 928 感じたこと、考えたことなどを音や動きなどで表現したり、自由にかいたり、つくったりなどする、としている。 ×

A 929 自由表現とは、幼児の興味のある事物、事象の動きを模倣して表現することをいう。 ○

Q 930 ト長調の階名ミは、音名で変ロである。

Q 931 日本音名でニは、イタリア音名でレ、イギリス音名ではDである。

Q 932 異名同音とは、名前が違っていても同じ高さの音のことをいう。

Q 933 五線譜の途中に引いてある縦線は、小節線である。

Q 934 移調とは、曲の途中で、調が変化することである。

Q 935 全音符を1の長さとしたとき、四分音符は4の長さである。

Q 936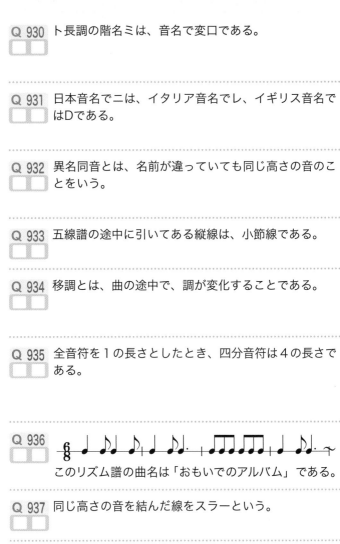
このリズム譜の曲名は「おもいでのアルバム」である。

Q 937 同じ高さの音を結んだ線をスラーという。

Q 938
この曲は3拍子である。

A 930 階名は何調であってもドレミファソラシである。階名ミは3番目の音のため、ト長調の音名トイロハニホ嬰への3番目の音はロになる。 ✕

A 931 日本音名のハニホヘトイロに対して、イタリア音名はドレミファソラシ、イギリス音名はCDEFGABである。 ◯

A 932 異名同音とは、たとえば、嬰ハ（ド♯）と変ニ（レ♭）、嬰ト（ソ♯）と変イ（ラ♭）など、名前が違っていても同じ高さの音のことをいう。 ◯

A 933 五線譜の途中に引かれている縦線は、小節線で、それぞれに仕切られた部分を小節という。 ◯

A 934 曲の途中で、調が変化することは転調である。移調は、曲をもとの調から他の調に移すことである。 ✕

A 935 全音符を1の長さとしたとき二分音符はその2分の1、四分音符は4分の1、八分音符は8分の1の長さである。休符の場合も同じ長さである。 ✕

A 936 増子とし作詞、本多鉄麿作曲「おもいでのアルバム」の歌い始めのリズム譜である。 ◯

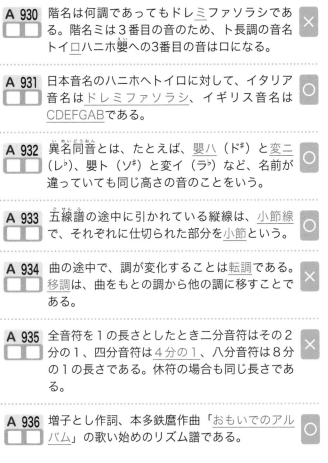

A 937 同じ高さの音を結んだ線は、タイとよばれる。スラーは違う高さの音を結ぶ線である。 ✕

A 938 文部省唱歌「かたつむり」の歌い始めである。付点八分音符と十六分音符で1拍、八分音符2つで1拍、合わせて2拍のため2拍子である。 ✕

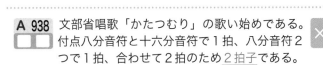

Q 939 *moderato*は、中くらいの速さでという意味の速度記号である。

Q 940 *D.S.*は、はじめにもどるという意味の標語である。

Q 941 *ritardando*は、だんだん遅くという意味の速度記号である。

Q 942 *animato*は、愛らしくという意味の曲想標語である。

Q 943 *cantabile*は、歌うようにという意味の曲想標語である。

Q 944 *sempre*は、少しずつという意味で、強弱記号などにつなげて用いられる。

Q 945 ソ♯とシは、短3度である。

Q 946 ドとソ♭は、完全5度である。

A 939 *moderato*（モデラート）は中くらいの速さで、*andante*（アンダンテ）は歩くような速さで、*allegro*（アレグロ）は快速に、*presto*（プレスト）は急速にという意味である。　○

A 940 *D.S.*はダル・セーニョと読み、セーニョ（𝄋）にもどるという意味である。　×

A 941 *ritardando*（リタルダンド）は、だんだん遅くという意味である。*rit.*も同じである。　○

A 942 *animato*（アニマート）は、いきいきと、という意味の曲想標語である。愛らしくは、*amabile*（アマービレ）である。　×

A 943 *cantabile*（カンタービレ）は歌うようにという意味の曲想標語である。　○

A 944 *sempre*（センプレ）は、つねにという意味である。少しずつは *poco a poco*（ポコ ア ポコ）である。　×

A 945 ソとシは3度。ソとラは全音、ラとシは全音。ソとシであれば長3度である。しかし、ソ♯となって半音上がっているため、ソ♯とラの間は半音である。このため、長3度より半音1つ分狭く、短3度となる。　○

A 946 ドとソは5度。ドとレは全音、レとミは全音、ミとファは半音、ファとソは全音。ドとソであれば完全5度である。しかし、ソ♭となって半音下がっているため、ファとソ♭の間は半音である。このため、完全5度より半音1つ分狭く、減5度となる。　×

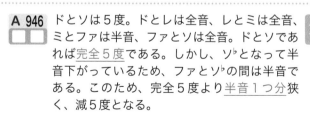

保育実習理論

Q 947 ヘ長調の調号は♭が2つである。

Q 948 ピアノの楽譜で変ホ長調の調号は、♭が2つである。

Q 949 調号として♯が3つついた調は、イ長調と嬰ヘ短調である。

Q 950 ト長調の旋律を完全4度低く移調するとニ長調になる。

Q 951 次の和音のうち、長三和音は②・③・⑥である。

Q 952 コードネームのアルファベットの大文字は、和音の根音と長三和音であることを表している。

Q 953 コードFの短3度下のコードはDである。

Q 954 鍵盤図の⑩⑬⑰で構成される和音をコードネームで表すとEである。

A 947 ヘ長調の調号は♭が１つである。♭２つは、変ロ長調である。 ✕

A 948 変ホ長調の調号は、♭が３つである。♭が２つは変ロ長調である。 ✕

A 949 ♯３つはファとドとソにつく。イ長調はラ、嬰ヘ短調はファ♯を主音とする。 ◯

A 950 ト長調の音階の主音はソである。ソの４度下は、レである。ニ長調はレを主音とする音階である。レとミは全音、ミとファは半音、ファとソは全音である。全音が２つと半音１つは完全４度である。ト長調の旋律を完全４度低く移調するとニ長調になる。 ◯

A 951 長三和音は長３度と完全５度の組み合わせである。長三和音は、②・④・⑥である。③は短三和音である。 ✕

A 952 たとえばCは、和音の根音がドであることと長三和音であることを表している。 ◯

A 953 Fは、ファを根音とする長三和音である。ファの短３度下の音は、レである。コードはDである。和音の構成音すべてではなく、根音だけで考える。 ◯

A 954 ⑩はミ、⑬はソ、⑰はシである。コードネームEの構成音はミ・ソ♯・シであるため⑬はあてはまらない。⑬は⑭の半音下なので第３音が半音下がるマイナーコードのEm（イーマイナー）である。 ✕

Q 955 赤い鳥童謡運動は、山田耕筰らによって始められた。

人物

Q 956 「ソーラン節」は、千葉県発祥の民謡である。

Q 957 リトミックは、わが国で考案された音楽の指導方法をいう。

Q 958 「いちねんせいになったら」の作詞者は、まど・みちおである。 人物

Q 959 コダーイシステムとは、フランスの子どもの遊び歌を用いた教育方法である。

Q 960 バレエ組曲「くるみ割り人形」は、チャイコフスキーによって作曲された。 人物

Q 961 カンツォーネは、イタリアのポピュラー・ソングである。

Q 962 「おつかいありさん」は、4分の2拍子である。

Q 963 「むすんでひらいて」の旋律を作曲したのは、モーツァルトである。

A 955 赤い鳥童謡運動を始めたのは、鈴木三重吉、北原白秋、西条八十らである。雑誌「赤い鳥」に掲載された詩に曲をつけたのが始まりである。 ✕

A 956 「ソーラン節」は、北海道発祥の民謡である。 ✕

A 957 リトミックは、スイスの音楽家であるエミール・ジャック゠ダルクローズによって考案された音楽の教育方法である。 ✕

A 958 まど・みちおは、「ぞうさん」の作詞者でもある。 ◯

A 959 コダーイシステムは、ハンガリーの子どもの民謡を取り入れた教育方法である。ハンガリーの作曲家であるゾルターン・コダーイによって考案された。 ✕

A 960 「くるみ割り人形」「白鳥の湖」「眠れる森の美女」は、チャイコフスキーの三大バレエ組曲である。 ◯

A 961 イタリア語では「歌」を意味する言葉である。わが国でよく知られている曲に「フニクリ・フニクラ」「オー・ソレ・ミオ」「帰れソレントへ」などがある。 ◯

A 962 「おつかいありさん」は、関根榮一作詞、團伊玖磨作曲の童謡である。 ◯

A 963 「むすんでひらいて」の旋律を作曲したのは、ルソーである。 ✕

2 造形の活動

Q 964 スクリブルは、運動感覚的な楽しさに基づいて描かれることが多い。 発達

Q 965 頭足人表現は、頭と足だけでなく、人物の全体的なイメージに基づいて描かれている。 発達

Q 966 描いた線が、渦巻状から一つの円になるのは、象徴期の特徴である。 発達

Q 967 拡大表現とは、自分の興味や関心のある物を想像を加えて拡大解釈して描くことをいう。

Q 968 基底線は、空間認識の表れや描かれているものの位置関係の表現である。

Q 969 アニミズム表現は、人間以外のものを擬人化してとらえる表現のことをいう。

Q 970 いやなことがあったときに、一度描いた絵を塗りつぶしたりすることを代償行為という。

Q 971 レントゲン表現とは、自分に見えているものだけを描くことをいう。

A 964 スクリブルは、なぐりがき期（錯画期、乱画期）にみられる。無意識のうちに生まれた表現、手の運動によって描かれたものである。　○

A 965 頭足人がみられるのは、3〜5歳頃の前図式期である。図式期には、レントゲン表現や拡大表現がみられる。　○

A 966 象徴期は意味づけ期ともよばれ、描いた形に名前をつけるようになる。2歳半〜3歳頃にみられ、円が渦巻状のものから一つの円になってくる。　○

A 967 拡大表現とは、自分の興味や関心のある物を、大きく詳しく描くことをいう。　×

A 968 基底線は、絵に描かれる地面のような線をいい、空間認識の表れや描かれているものの位置関係の表現といえる。　○

A 969 アニミズム表現の例として、太陽や花などに笑顔や悲しい顔などを描くことがあげられる。　○

A 970 一度描いた絵の上をほかのクレヨンでぐるぐると塗りつぶすような行為を代償行為といい、相手をやっつけているつもりであると考えられている。　○

A 971 レントゲン表現とは、たとえば、土の中や建物の中などにあり、実際には見えないものを描くことをいう。　×

Q 972 ケロッグは、子どもは見えたものではなく、知っていることを描くとした。 人物

Q 973 顔料と油脂でできているのは、クレヨンである。

Q 974 スクラッチとは、暗い色のクレヨンの上に明るい色のクレヨンを重ね塗りして釘などでひっかき、下の色を出す方法である。

Q 975 ステンシルとは、下絵を切り抜いてその部分から絵の具やインクなどを刷り込む方法をいう。

Q 976 子どもがバチックに取り組むとき、クレヨンを薄く塗って、水を入れずに濃い状態の水彩絵の具を塗るように教える。

Q 977 スタンピングをする場合には、絵の具は薄めにしたほうがよい。

Q 978 マーブリングの模様づくりには、バットや水、墨汁、画用紙、新聞紙が必要である。

Q 979 木目のある板や畳の目のようなざらざらしたものに薄い紙を当て、鉛筆やクレヨンでこすって模様を浮き出させる方法をフロッタージュという。

A 972 子どもは見えたものではなく、<u>知っていること</u><u>を描く</u>としたのは<u>リュケ</u>である。 ✕

A 973 クレヨンは、顔料と<u>木ロウ</u>でできている。<u>顔料</u>と油脂でできているのは、パスである。 ✕

A 974 <u>スクラッチ</u>は、<u>明るい色</u>のクレヨンの上に<u>黒い</u>クレヨンを重ね塗りし、釘などでひっかいて絵を描く方法である。 ✕

A 975 ステンシルは、孔版という<u>版画</u>の一種である。 ◯

A 976 バチックに取り組むときは、<u>クレヨン</u>は力を入れて濃く塗り、<u>水彩絵の具</u>は多めの水で薄めて塗るように教える。 ✕

A 977 スタンピングの材料にはビンのふたや<u>野菜の輪切り</u>などを使うため、絵の具は<u>濃い目</u>にしたほうがよくつく。 ✕

A 978 マーブリング（墨流し）は、水面に<u>墨汁</u>や水彩絵の具を浮かべ、その上に紙をかぶせて模様を写しとる技法で、画用紙ではなく<u>和紙</u>が適している。 ✕

A 979 <u>フロッタージュ</u>は「こすること」を意味する言葉である。この技法を実践することで、身近なものにさまざまな模様を見つけることができる。 ◯

保育実習理論

295

Q 980 幼児の造形活動に適している粘土は、小麦粉粘土である。

Q 981 粘着性、弾力性があり、腰が強いという特徴をもつ粘土は土粘土である。

Q 982 土粘土を乾燥させて1,000℃以上で素焼きにした塑像などをテラコッタという。

Q 983 ハサミを使った製作は、危険をともなうため満3歳以上になるまではできるだけ避けたほうがよい。

Q 984 折り紙は、わが国の伝統的な民族芸術といえる。

Q 985 でんぷん糊は、紙と紙を接着するときに使われる。

Q 986 ポリエチレン製のテープ紐は、縦方向に簡単に裂くことができて、まとめるとポンポン玉を作ることができる。

Q 987 オレンジ色と紫は同系色に近い関係で、組み合わせて使うと、強く元気なイメージである。

A 980 小麦粉粘土は、腰が弱く非常に<u>軟らかい</u>、表面が<u>粘着性</u>をもたないなどから立体の造形活動には適していない。2〜3歳児のこねくり活動など遊びの材料に用いられる。 ×

A 981 土粘土は、<u>可塑性</u>に優れ、粘着性、弾力性があり、腰も強い。<u>水分</u>の調節も可能で幼児に適した硬さの状態で与えることができる。 ○

A 982 テラコッタは、<u>土粘土</u>を乾燥させて<u>800℃</u>程度で素焼きにした塑像や器をいう。 ×

A 983 <u>2歳半ば</u>になるとハサミで紙を切ることを楽しめるようになるため、保育士等が十分に<u>見守りながら</u>使い方に慣れさせることが必要である。 ×

A 984 折り紙は、紙による<u>立体造形</u>の代表的なものである。平面を折ることで立体的な表現が生まれる面白さを子どもに<u>指導</u>する。 ○

A 985 <u>でんぷん糊</u>は、主に紙と紙を接着するときに使われ、水を混ぜると軟らかくなって接着力が弱まる。

A 986 ポンポン玉は、運動会の踊りや応援などで使われる。様々な作り方があるが、いずれの作り方でも<u>ポリエチレン製</u>のテープ紐を<u>縦方向</u>に裂いてポンポン玉のボリューム感を出している。 ○

A 987 オレンジ色と紫は<u>補色</u>に近い関係である。組み合わせて使うと、強く元気で、エネルギッシュなイメージである。 ×

Q 988 無彩色とは、白と黒、灰色をいう。

Q 989 色の明るさを明度といい、明度が最も高い色は黒である。

Q 990 濁りのない鮮やかな色を純色といい、純色に灰色を混ぜた色を清色という。

Q 991 色料の3原色とは、赤・緑・青をいう。

Q 992 補色関係にある2色を接して並べると、お互いの色の彩度が高く見える。

Q 993 明度の違う2色を配色した場合、明るいほうの色が暗く、暗いほうの色が明るく見えることを明度対比という。

Q 994 複数の絵の具を使用して色を混ぜ合わせ、暗い色にすることを加算混合（加算混色）という。

Q 995 何色かの色の点の集まりが異なる色に見えることを並置混合という。

Q 996 無彩色は、色相と明度がなく、彩度のみがある。

A 988 無彩色に対して有彩色は無彩色を除いたほかのすべての色をいう。 ○

A 989 色のなかで最も明度が高い色は白で、最も低い色が黒である。白を混ぜるほど、明度は高くなる。 ×

A 990 純色に灰色を混ぜた色は濁色という。清色は、純色に白または黒を混ぜた色をいう。 ×

A 991 色料の3原色とは、赤・黄・青をいう。赤・緑・青は、色光の3原色である。 ×

A 992 補色関係（橙と青、紫と黄緑など）にある2色を並べると、お互いの色の彩度は高くなって見える。 ○

A 993 明度の違う2色を配色した場合、明るい色はより明るく、暗い色はより暗く見えることを明度対比という。 ×

A 994 複数の絵の具を使用して混ぜ合わせ、暗い色にするのは減算混合（減算混色）である。 ×

A 995 クレヨンなどで点描し、その複数の色の点の集まりを離れてみると異なる色に見えることを並置混合という。 ○

A 996 無彩色は、色相と彩度がなく、明度のみがある。 ×

3 言語（言葉）の活動

Q 997 ３歳以上児では、理解する語彙数が急激に増加し、知的興味や関心も高まってくる。 [指針]

Q 998 「保育所保育指針」の３歳以上児の「言葉」では、人の話を注意して聞き、自分の言葉で説明する、としている。 [指針]

Q 999 「保育所保育指針」の３歳以上児の「言葉」では、テレビやビデオを興味をもって見ながら、言葉を聞く、としている。 [指針]

Q 1000 「保育所保育指針」の３歳以上児の「言葉」では、文字によって伝えることについては触れていない。 [指針]

Q 1001 「保育所保育指針」の１歳以上３歳未満児の「言葉」では、保育士等とごっこ遊びをする中で、言葉のやり取りを楽しむ、としている。 [指針]

Q 1002 保育所における言葉の指導では、日常生活の生きた言葉を身につけ、正しく話せるようにすることも大切である、としている。 [指針]

Q 1003 「保育所保育指針」の３歳以上児の「表現」では、保育士等に教えられた通りに言葉で表現する楽しさを味わう、としている。 [指針]

Q 1004 「保育所保育指針」では、１歳以上３歳未満児の時期は、片言と二語文までを習得するとしている。 [指針]

A 997 「保育所保育指針」の「3歳以上児の保育に関するねらい及び内容」に示されている。この時期には、<u>集団的</u>な遊びや<u>協同的</u>な活動もみられるようになる。 ○

A 998 人の話を<u>注意して聞き</u>、<u>相手に分かるように</u>話す、としている。 ✕

A 999 <u>絵本や物語</u>などに親しみ、興味をもって聞き、<u>想像する楽しさ</u>を味わう、としている。 ✕

A 1000 <u>日常生活</u>の中で、文字などで<u>伝える</u>楽しさを味わう、としている。 ✕

A 1001 「保育所保育指針」では、読み聞かせや保育士等からの言葉かけだけでなく、<u>遊びを通して言語力</u>を育成することも目指している。 ○

A 1002 「保育所保育指針」3歳以上児の「言葉」では、親しみをもって<u>日常の挨拶</u>をする、<u>生活の中で</u>必要な言葉が分かり、使う、など日常生活に関連を持たせた内容が示されている。 ○

A 1003 <u>自分のイメージ</u>を動きや<u>言葉</u>などで表現したり、演じて遊んだりするなどの楽しさを味わう、としている。 ✕

A 1004 この時期は、<u>片言</u>から、二語文、<u>ごっこ遊び</u>でのやり取りができる程度へと、大きく言葉の習得が進む時期であるとしている。 ✕

Q 1005 「たけやぶやけた」など、最初から言っても最後から言っても同じ言葉になるものをしりとりという。

Q 1006 童話を読み聞かせるということは、子どもに善悪を教える、という部分があるため、教訓的な話でなければならない。

Q 1007 童話を読み聞かせる際には、集中させるため、小さな声で話すようにする。

Q 1008 童話を読み聞かせる際には、子どもに理解しにくい言葉であっても原作の通りに読むことが大切である。

Q 1009 童話を読み聞かせる際には、話が単調にならないように緩急のリズムを取り入れ、擬音や擬声も適度に使うようにする。

Q 1010 童話の内容が子どもにイメージしやすいように、具体的な表現にすることも必要である。

Q 1011 童話を読み聞かせる場合、子どもが座る椅子は保育士を中心にして扇形に並べるとよい。

Q 1012 童話を読み聞かせる際には、一人ひとりに語りかけるように話す。

A 1005 最初から言っても最後から言っても同じ言葉になるものは回文という。しりとりは、言葉の最後の文字が次の言葉の最初の文字になるようにつなげていく遊びである。　×

A 1006 童話を選ぶ際には教育的に優れているものでなければならないが、教訓的にならないこと、芸術的に優れていること、明るい内容であることなどが大切である。　×

A 1007 童話を読み聞かせる際には、適度な大きさの声で、はっきりとした発音で話すようにする。　×

A 1008 童話を読み聞かせる場合には、子どもに理解しやすい言葉を使い、早口にならないように気をつけなければならない。　×

A 1009 子どもが興味をもって聞くようにするためには、話にリズムをもたせることが大切である。　○

A 1010 子どもは自分でイメージできないと話への興味がそがれる。このため、童話の内容は、子どもがイメージしやすいような表現にすることが大切である。　○

A 1011 聞いている子どもたち全員が保育士の顔を見ることができるように、保育士を中心として椅子を扇形に並べるとよい。　○

A 1012 童話を読み聞かせる際には、一人ひとりの顔を見て、語りかけるように話すことが大切である。　○

保育実習理論

Q 1013 絵本を選択する場合には、保育士自身も感動し、楽しめる本にすることが大切である。

Q 1014 絵本を読み聞かせるときの読み手の背景は、シンプルなものがよい。

Q 1015 『じゃあじゃあびりびり』は、オノマトペの面白さを描いた絵本である。

Q 1016 絵本を読み終えたら、すぐに子どもに内容について質問をする。

Q 1017 『もこ　もこもこ』の作者は、なかえよしをである。 人物

Q 1018 ２歳未満の幼児に適した絵本として、『だるまさんが』がある。

Q 1019 『はらぺこあおむし』の作者は、レオ・レオニである。 人物

Q 1020 『ねむりひめ』はトルストイの作品である。 人物

Q 1021 『ぐりとぐら』は、中国の民話である。

A 1013 絵本を選択する場合、<u>自分自身</u>が感動し、<u>楽しい</u>と思える作品でなければ、子どもは楽しいと感じることができない。 ○

A 1014 絵本の読み聞かせの際には、子どもが<u>絵本に集中</u>できるよう読み手の背景を<u>シンプル</u>にする。 ○

A 1015 <u>オノマトペ</u>は、擬音語、擬声語、擬態語を総称したフランス語で、キラキラ、ビチャビチャ、そわそわ、イライラというような状態や感情、<u>動物</u>や<u>人の声</u>などを表現した言葉をいう。 ○

A 1016 絵本を読み終えたあとは、子どもが絵本を楽しんだ<u>余韻</u>を感じられるようにする。 ✕

A 1017 『もこ もこもこ』の作者は、<u>谷川俊太郎</u>である。<u>なかえよしを</u>の絵本には、『ねずみくんのチョッキ』がある。 ✕

A 1018 2歳未満の幼児の場合、<u>言葉の繰り返し</u>などを楽しむことができる。『だるまさんが』は、だるまが転がる絵を楽しみながら、だるまが発する<u>言葉</u>を楽しむことができる。 ○

A 1019 『はらぺこあおむし』の作者は、<u>エリック・カール</u>である。レオ・レオニは『<u>スイミー</u>』『<u>あおくんときいろちゃん</u>』の作者である。 ✕

A 1020 『ねむりひめ』はヨーロッパの民話である。トルストイがロシアの民話をもとに書いた児童文学は『<u>おおきなかぶ</u>』である。 ✕

A 1021 『ぐりとぐら』は民話ではなく、<u>中川李枝子</u>：作、山脇百合子：絵の絵本である。 ✕

Q 1022 紙芝居を演じる際には、間のとりかたが重要である。

Q 1023 紙芝居を演じる場合、声の出し方に注意する必要はなく、後ろまで届くような声量で行う。

Q 1024 紙芝居の絵の裏側には、絵の抜き方などが指示されているが、自分のやり方で行い、指示に従う必要はない。

Q 1025 ペープサートとは、ペーパー・パペット・シアターを短縮してできた言葉である。

Q 1026 ペープサートは、人さし指と中指、親指で動かす。

Q 1027 子どもは保育士等や友だちと心を通わせる中で、絵本や物語などに親しみながら、豊かな言葉や表現を身に付け、体験したことや考えたことなどを言葉で伝えたり、相手の話を注意して聞いたりして、言葉による伝え合いを楽しむようになる。 指針

Q 1028 パネルシアターは、パネル舞台の上で絵が動くため、言葉を使わなくても見る側が理解することができる。

Q 1029 パネルシアターの場合、演じ手が絵をつけたり、離したり、動かしたりすることが子どもの興味をひくといえる。

A 1022 紙芝居の<u>間</u>には、観客に期待させる、余韻を残すなど<u>特有の間</u>があり、<u>重要</u>な意味をもつ。 ◯

A 1023 紙芝居を演じる場合、声の<u>高低</u>、緩急、<u>強弱</u>、明暗を組み合わせて表現することが必要である。 ✕

A 1024 紙芝居の絵の裏側に描かれている<u>指示</u>は、紙芝居を面白く見せるための<u>テクニック</u>といえる。指示を参考にすることは重要である。 ✕

A 1025 ペープサートとは、紙のあやつり人形の劇場という意味で、<u>紙人形劇</u>のことである。<u>ペーパー・パペット・シアター</u>を短縮してできた言葉である。 ◯

A 1026 ペープサートは<u>人さし指と中指</u>の上に人形の柄を置き、柄を<u>親指</u>で押さえる。親指をこするように左右に動かすと、人形がクルクルと動く。 ◯

A 1027 体験ではなく<u>経験</u>である。「保育所保育指針」第1章「総則」4「幼児教育を行う施設として共有すべき事項」(2)「<u>幼児期の終わりまでに育ってほしい姿</u>」のケに示されている。 ✕

A 1028 パネルシアターの場合、演じる際には表情豊かに演じ、場面展開のときも絶えず<u>言葉をかけながら</u>間をつなぎ、スムーズに<u>次の場面</u>へと移っていくことが大切である。 ✕

A 1029 <u>演じ手</u>の表情が見える、紙芝居にはない<u>アニメ</u>のような動きがある、という部分が子どもの興味をひき、パネルシアターのよさともいえる。 ◯

4 保育所・児童福祉施設の役割と機能

Q 1030 指導計画の展開では、子どもが行う具体的な活動が生活の中で様々に変化することに留意して、子どもが望ましい方向に向かって保育士と活動を展開できるよう必要な援助を行う。 指針

Q 1031 指導計画の展開では、保育士が適切な役割分担と協力体制を整える。 指針

Q 1032 子どもに達成感を覚えさせるためには、子どもができることよりレベルの高いことを行わせることが大切である。

Q 1033 保育所児童保育要録は、就学先の小学校へ保育所から送付する、子どもの育ちを支えるための資料である。

Q 1034 社会的養護を必要とする児童のうち、特に就学前の児童で家庭における養育が適当でない場合、施設養護が適切であるとされている。

Q 1035 友だちとけんかした後、保育士に乱暴な言葉を投げかけた子どもに対して、保育士は子どもが謝るまで話をしないようにする。

Q 1036 友だちとけんかして突き飛ばされ、泣いている子どもに対して、保育士は早く泣き止むように注意する。

Q 1037 主として肢体不自由児を入所させる医療型障害児入所施設に配置されている保育士は、遊びの専門職として機能訓練と遊びを統合することが求められる。

A 1030 指導計画の展開では、子どもが行う具体的な活動が生活の中で様々に変化することに留意して、子どもが<u>望ましい方向</u>に向かって<u>自ら</u>活動を展開できるよう必要な援助を行う。 ×

A 1031 指導計画の展開では、<u>施設長</u>、保育士など、<u>全職員</u>による適切な役割分担と協力体制を整える。 ×

A 1032 子どもができることや<u>関心</u>のあることから始めて次のレベルへ挑戦する<u>意欲</u>を引き出す。 ×

A 1033 保育所児童保育要録の記入は、施設長の責任のもとで<u>担当保育士</u>が行う。 ○

A 1034 社会的養護を必要とする児童のうち、特に<u>就学前</u>の児童で家庭における養育が適当でない場合、<u>家庭における養育環境と同様の養育環境</u>で継続的に養育されることが原則とされている。 ×

A 1035 子どもに悪いところがあっても、謝るまで話さないのは適切ではない。子どもが<u>落ち着いた</u>ところで声をかけ、<u>理由を聞く</u>姿勢が必要である。 ×

A 1036 泣いている子どもに対しては、泣き止むように<u>注意</u>するのではなく、落ち着くのを待ち、<u>話しかける</u>姿勢が必要である。 ×

A 1037 日常の生活指導のほか、<u>乳幼児</u>の遊びの支援、学齢児の<u>レクリエーション</u>支援、行事などを担当し、遊びを通じて機能訓練を支援する。 ○

保育実習理論

Q 1038 乳児院（乳幼児10人以上）には、家庭支援専門相談員が必ず配置される。 基準

Q 1039 児童指導員は、児童養護施設などの児童福祉施設に配置され、退所した者に対するアフターケアも行う。

Q 1040 児童厚生施設には、児童の遊びを指導する者が配置され、保育士資格を有している者もなることができる。 基準

Q 1041 福祉型障害児入所施設には、心理療法担当職員が配置される。 基準

Q 1042 母子生活支援施設には、心理療法を行う必要があると認められる母子が1人でもいる場合には、心理療法担当職員を置かなければならない。 基準

Q 1043 児童厚生施設の長は、必ず児童の健康及び行動について保護者に連絡しなければならない。 基準

Q 1044 施設は、社会的養護の地域の拠点として、施設から家庭に戻った子どもへの継続的なフォロー、里親支援、社会的養護の下で育った人への自立支援やアフターケア、地域の子育て家庭への支援など、専門的な地域支援の機能を強化し、総合的なソーシャルワーク機能を充実させていくことが求められている。

A 1038 乳児院（乳幼児10人以上）には、医師または嘱託医、看護師、<u>個別対応職員</u>、家庭支援専門相談員、<u>心理療法担当職員</u>（10人以上の児童とその保護者に心理療法を行う場合）、栄養士、調理員が必置職員である。 ○

A 1039 児童指導員は、<u>児童養護施設</u>、児童心理治療施設などに配置される。 ○

A 1040 保育士のほか、<u>社会福祉士</u>資格を有する者、<u>2</u>年以上児童福祉事業に従事した者などがなることができる。 ○

A 1041 福祉型障害児入所施設に配置されるのは、心理担当職員である。心理<u>療法</u>担当職員は、乳児院、母子生活支援施設、児童養護施設、児童心理治療施設、<u>児童自立支援施設</u>に配置される職員である。 ×

A 1042 心理療法を行う必要があると認められる母子が<u>10人以上</u>いる場合に、<u>心理療法担当職員</u>を置かなければならない。 ×

A 1043 児童厚生施設の長は、<u>必要に応じ</u>児童の健康及び行動につき、その<u>保護者</u>に連絡しなければならないと規定されている。 ×

A 1044 「児童養護施設運営指針」第1部「総論」2 社会的養護の基本的理念と原理(3)社会的養護の基盤づくりに示されている。このなかでは、<u>ソーシャルワーク</u>と<u>ケアワーク</u>を適切に組み合わせ、家庭を総合的に支援する仕組みづくりが必要なことも示されている。 ○

保育実習理論

事例問題 トレーニング

次の文は、ある保育所で実習している女性の【事例】である。

【事例】

実習生のNさんは、S保育所の3歳児クラスで担当保育士に教わり、保育所実習を行っている。3歳児クラスの子どもたちに対する保育内容の観察、記録のとり方、自分の保育の振り返りについて、実習ノートにまとめている。

問題

Nさんの実習ノートの内容として適切な記述を○、不適切な記述を×で答えなさい。

Q1045 担当保育士の保育の方法について観察し、やり方だけを書く。

Q1046 担当保育士とNさんとの保育に対する考え方のやりとりについても書く。

Q1047 どのような環境で保育が行われているかを書く。

Q1048 自分の保育の反省点、できなかったことなどもまとめ、翌日の実習に活かす。

Q1049 Nさんが感じたことは書かない。

Q1050 他のクラスの保育の方法については書かない。

A1045 担当保育士の保育の方法、どのような遊具を用意 ✕
し、子どもたちにどのようにそれを使わせたか、子
どもたちの反応なども含めて実習ノートにまとめ
る。

A1046 担当保育士の保育に対する考え方を聞き、それに ◯
ついてNさんがどのようにとらえどのように考える
かも重要である、それを実習ノートにまとめておく
ことは、自分の保育の振り返りにつながる。

A1047 保育には、人的環境、物的環境、自然や社会の事 ◯
象などさまざまな環境がある。保育所では環境が相
互に関連し、子どもの生活が豊かなものになるよう
に保育を実施する。環境についてもまとめておくこ
とは適切である。

A1048 自分の保育の反省点、できなかったことなどを実 ◯
習ノートにまとめることは、自分の保育を再認識す
ることになり、それを翌日の保育に活かすことは大
切である。

A1049 実習ノートは、あったことだけを記録するのでは ✕
なく、自分がどのように感じたか、どのような感情
をもったかなども記録して保育に活かしていくため
のものである。

A1050 自分の担当しているクラスだけでなく、他のクラ ✕
スの保育の方法を記録しておくことは、さまざまな
保育方法を検討していくうえで大切である。

Point 35　音楽記号と標語

◎ 速度標語

● 楽曲全体の速度を示すもの

遅	Grave	グラーベ	荘重にゆっくりと
↑	Largo	ラルゴ	幅広くゆっくりと
	Lento	レント	静かにゆるやかに
	Adagio	アダージョ	ゆったりと
	Andante	アンダンテ	歩くような速さで
中	Andantino	アンダンティーノ	アンダンテよりやや速く
	Moderato	モデラート	中くらいの速さで
	Allegretto	アレグレット	やや快速に
	Allegro	アレグロ	快速に
↓	Vivo	ビーボ	元気に速く
	Vivace	ビバーチェ	活発に
速	Presto	プレスト	急速に

◎ 強弱記号

● 楽曲全体や部分的な強弱を示すもの

強	*fff*	フォルテフォルティッシモ	きわめて強く
↑	*ff*	フォルティッシモ	とても強く
	f	フォルテ	強く
	mf	メゾ・フォルテ	やや強く
	mp	メゾ・ピアノ	やや弱く
	p	ピアノ	弱く
↓	*pp*	ピアニッシモ	とても弱く
弱	*ppp*	ピアノピアニッシモ	きわめて弱く

◎ 曲想標語

　曲想とは、その曲のもっている雰囲気のことで、曲想標語には cantabile（カンタービレ：歌うように）、legato（レガート：なめらかに）などがあります。

314

Point 36 主要三和音・コードネーム

◎ 和音

　高さの異なる２つ以上の音を同時に響かせることを和音といいます。特に、ある音の上に３度ずつ上の音を２つ重ねたものを**三和音**といいます。

● 主要三和音

　音階上につくられる三和音のうち、主音上につくられる**Ⅰ**（**主和音**）、下属音上につくられる**Ⅳ**（**下属和音**）、属音上につくられる**Ⅴ**（**属和音**）のことをいい、その他の和音は副三和音といいます。

● 属七の和音

　音階上につくられた三和音のそれぞれの第５音の上に、さらに３度上の音を加えたものを**七の和音**といいます。そのなかで、属音上につくられたものを特に**属七の和音**といい、その他は副七の和音といいます。

● コードネーム

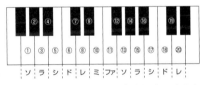

　コードネームは、三和音などをアルファベットで示したもので、アルファベットは和音の根音を表しています。鍵盤図の番号で主なコードネームを表すと次のようになります（七の和音は、多くの場合、第五音を省略します）。

　主なコードネームの基本形（赤文字）・転回形は以下のとおりです。

メジャーコード

　C（ドミソ）⑥⑩⑬（①⑥⑩、⑩⑬⑱）　　D（レファ♯ラ）⑧⑫⑮（③⑧⑫、⑫⑮⑳）
　E（ミソ♯シ）⑩⑭⑰（②⑤⑩、⑤⑩⑭）　　F（ファラド）⑪⑮⑱（③⑥⑪、⑥⑪⑮）
　G（ソシレ）①⑤⑧、⑬⑰⑳（⑤⑧⑬、⑧⑬⑰）　　A♭（ラ♭ド♭ミ♭）②⑥⑨（⑥⑨⑭、⑨⑭⑱）

マイナーコード（メジャーコードの第三音が半音下がる）

　Cm（ドミ♭ソ）⑥⑨⑬（①⑥⑨、⑨⑬⑱）　　Dm（レファラ）⑧⑪⑮（③⑧⑪、⑪⑮⑳）
　Em（ミソシ）⑩⑬⑰（①⑤⑩、⑤⑩⑬）　　Am（ラドミ）③⑥⑩（⑥⑩⑮、⑩⑮⑱）

セブンスコード（第５音を省略）

　C₇（ドミシ♭）⑥⑩⑱（④⑥⑩、⑩⑱⑱）　　D₇（レファ♯ド）⑧⑫⑱（⑥⑧⑫、⑫⑱⑳）
　E₇（ミソ♯レ）⑩⑭⑳（②⑧⑩、⑧⑩⑭）　　G₇（ソシファ）①⑤⑪（⑤⑪⑬、⑪⑬⑰）

保育実習理論

315

Point 37　幼児期の描画能力の発達と特徴

● 描画能力の発達過程

区分	時期	特徴
①なぐりがき期（スクリブル）	1～2歳半	無意識の表現。手の動きの発達により、しだいに描線も変わってくる。錯画期、乱画期ともいわれる
②象徴期	2歳半～3歳	描いた形に名前をつけるので命名期、意味づけ期ともいわれる。描線は、円が渦巻状のものから1つの円になってくる
③前図式期	3～5歳	ものの特徴が描けるようになってきて、何を描いたのかがだいたいわかるようになる。カタログ期ともいわれる。頭足人（頭から直接手足が出ている人物画）といわれる人物画やアニミズム表現がみられる
④図式期	5～9歳	描くものをよく見て描くというのではなく、自分のなかにある経験を再生させて、覚え描きのような図式で表現する。レントゲン表現や拡大表現がみられる。基底線（地面）が現れる。展開表現などの特徴がみられる

● 幼児画にみられる特徴

①並列表現（カタログ表現）	同じものを横に並べて描く
②レントゲン表現	見えないものを描く（土の中の木の根、家の中の人など）
③拡大表現	興味・関心があるものを大きく、詳しく描く
④アニミズム表現	太陽や花などに笑顔などを描き入れること
⑤視点移動表現	立体的なものを上から見たり横から見たりというように視点を移動させて描く
⑥展開表現	道の両側の家が、両側に倒れたように描く表現

並列表現

拡大表現

レントゲン表現

展開表現

● 絵画の構成要素

均衡 （バランス）	左右の色や形が対立関係にあるもので、重力の感じがつり合っているもの
左右対称 （シンメトリー）	左右の形が同じもの
律動（リズム）	連続的な秩序ある動きをいう
比例 （プロポーション）	ある形の全体や部分、長さや広さの関係を数的にとらえたもの
強調 （アクセント）	形や画面に変化をつけるため、形や画面の一部に趣の違う色や形を置くこと
対照 （コントラスト）	相反する色や形によって、互いの特性を強め合う組み合わせの効果

● 描画材料を使った技法のいろいろ

はじき絵 （バチック）	紙にクレヨンやパスで絵を描いた上から絵の具を塗る
指絵の具 （フィンガー・ペインティング）	糊状の絵の具を手につけ直接画面に塗りたくり自由になすりながら描く
ひっかき絵 （スクラッチ）	明るい色のクレヨンの上に黒いクレヨンを重ね塗りし、上から釘などでひっかいて下の色を出す
型押し （スタンピング）	ビンのフタや野菜の輪切り、木の葉などに絵の具をつけて紙に押しつけて写す。版画の一種
合わせ絵 （デカルコマニー）	半分に折った紙の片面に絵の具をたらし、折り合わせて上からこすってから紙を開く
墨流し （マーブリング）	洗面器に水を入れ、水面に墨汁や水彩絵の具を浮かべて、紙（和紙のほうがよい）をかぶせて模様を写しとる
吹き流し （ドリッピング）	画用紙の上に、薄く溶いた絵の具などをたらし、ストローで吹いて散らす
こすり出し絵 （フロッタージュ）	木の目や畳の目のようなざらついたものに柔らかい紙を当て、クレヨンで上からこすると模様が浮き出てくる
貼り絵（コラージュ）	紙や布を切り抜いて組み合わせ、貼り合わせる

得点 UP の 🔑 『スイミー』の絵画技法

> アメリカ、イタリアなどで活躍した絵本作家のレオ・レオニの作品、『スイミー』では、主に**スタンピング**の技法が使われている。

MEMO

「合格したい！」をサポートする

2025（令和7）年 保育士 試験対策書籍

はじめてレッスン
初受験でも
ブランクのある人も、
読んで楽しい入門書

実技試験合格ナビ
筆記試験に合格したら…
実技試験3分野の攻略ポイントが
わかる対策書
（2025年4月発刊予定）

速習テキスト（上・下）
フルカラーの
「わかりやすい！」
基礎固めテキスト

過去＆予想問題集
これ一冊で合格
ラインを超える！
過去問と予想模試が
合体した問題集

一問一答＆要点まとめ
スキマ時間の学習が充実。
コンパクトでサクサク点検
マルバツ式問題集

※2024年9月現在。書名・発刊月・カバーデザイン等変更になる可能性がございます

 ユーキャン資格本アプリ

App Store/Google Playでリリース中！
詳しくはこちら（PC・モバイル共通）
http://www.gakushu-app.jp/shikaku/

2024年10月追加予定

◆ **2025年版 保育士 一問一答＆要点まとめ**
『ユーキャンの保育士これだけ！一問一答＆要点まとめ』のアプリ版です。
復習帳機能、小テスト機能などアプリならではの便利な機能が盛りだくさん。

●法改正・正誤等の情報につきましては、下記「ユーキャンの本」
ウェブサイト内「追補（法改正・正誤）」をご覧ください。
https://www.u-can.co.jp/book/information
●本書の内容についてお気づきの点は
・「ユーキャンの本」ウェブサイト内「よくあるご質問」をご参照ください。
https://www.u-can.co.jp/book/faq
・郵送・FAXでのお問い合わせをご希望の方は、書名・発行年月日・お客様の
お名前・ご住所・FAX番号をお書き添えの上、下記までご連絡ください。
【郵送】〒169-8682 東京都新宿北郵便局 郵便私書箱第2005号
ユーキャン学び出版 保育士資格書籍編集部
【FAX】03-3378-2232
◎より詳しい解説や解答方法についてのお問い合わせ、他社の書籍の
記載内容等に関しては回答いたしかねます。
●お電話でのお問い合わせ・質問指導は行っておりません。

2025年版 ユーキャンの保育士 これだけ！一問一答&要点まとめ

2008年4月20日　初　版　第1刷発行
2024年10月4日　第18版　第1刷発行

編　者　ユーキャン 保育士試験研究会
発行者　品川泰一
発行所　株式会社 ユーキャン 学び出版
　　　　〒151-0053 東京都渋谷区代々木1-11-1
　　　　Tel 03-3378-1400
編　集　株式会社 桂樹社グループ
発売元　株式会社 自由国民社
　　　　〒171-0033 東京都豊島区高田3-10-11
　　　　Tel 03-6233-0781（営業部）

印刷・製本　望月印刷 株式会社